A jornada de um escravo fugitivo

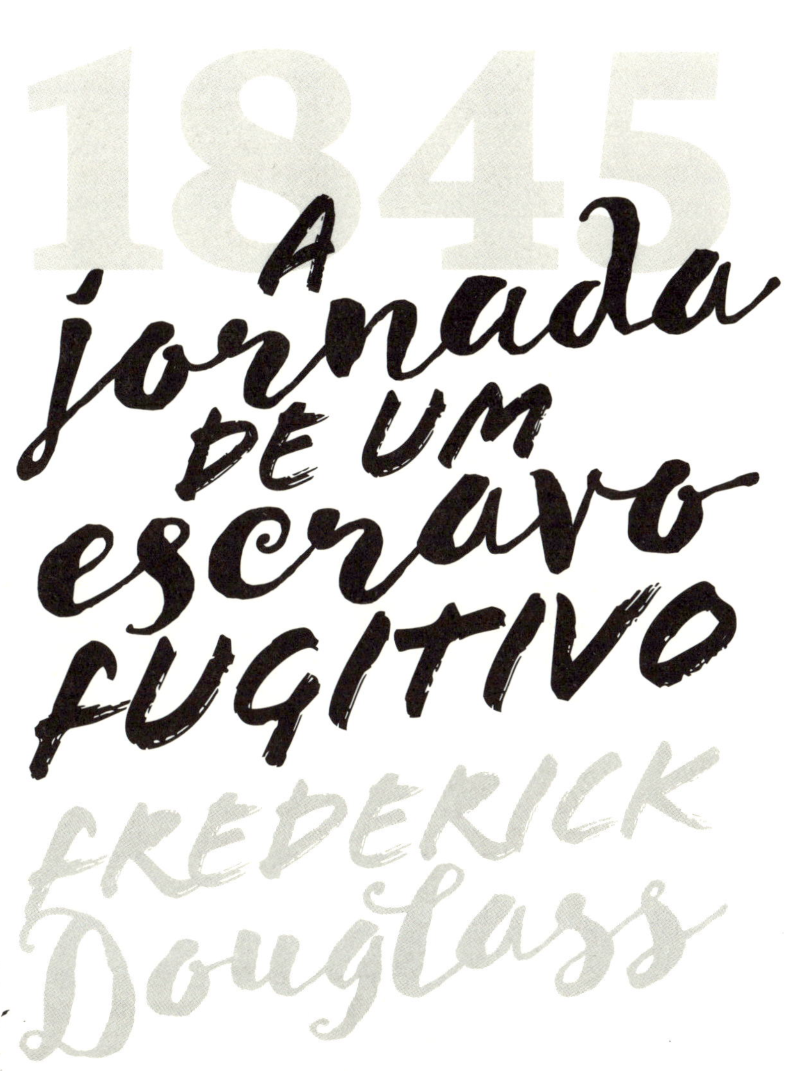

Tradução de Karine Ribeiro

2ª edição | Brasil

TRADUÇÃO
Karine Ribeiro

PREPARAÇÃO E REVISÃO
Camila Fernandes

CAPA E PROJETO GRÁFICO
Marina Avila

IMAGENS
Capa: National Portrait Gallery, Smithsonian Institution *Outros:* Library of Congress, P. 67 Schreiber, George Francis, L.O.C., P. 116 Boston Public Library Anti-Slavery Collection, P. 131 Courtesy of the Holt-Messer Collection, Schlesinger Library, Radcliffe College, Cambridge, Massachusetts.

2ª edição | 2021 | Capa dura | Viena

DADOS INTERNACIONAIS DE CATALOGAÇÃO NA PUBLICAÇÃO (CIP)
(Câmara Brasileira do Livro, SP, Brasil)
Catalogação na fonte: Bibliotecária responsável : Ana Lúcia Merege - CRB-7 4667

D 737
Douglass, Frederick
A jornada de um escravo fugitivo / Frederick Douglass; tradução e prefácio de Karine Ribeiro. - São Caetano do Sul, SP: Wish, 2021.
160 p. ; 15,5 x 23 cm.
Tradução de: *Narrative of the life of Frederick Douglass, an American slave*
ISBN 978-65-88218-29-7 (capa dura)
1. Douglass, Frederick, 1818 - 1895 2. Escravidão - História - Século XIX - Estados Unidos 3. Escravos - Biografia - Estados Unidos 4. Abolicionistas - Biografia - Estados Unidos I. Ribeiro, Karine II. Título CDD 920.9306362

ÍNDICE PARA CATÁLOGO SISTEMÁTICO:
1. Douglass, Frederick, 1818-1895 920.9306362

EDITORA WISH
www.editorawish.com.br
instagram.com/editorawish
São Caetano do Sul - SP - Brasil

Um homem que acredita na
liberdade fará tudo o que puder
para obter ou preservar a sua.

MALCOLM X

su
má
rio

A JORNADA

EXTRAS

Prefácio

A FORÇA DE UM HOMEM CONTRA O SISTEMA

KARINE RIBEIRO
TRADUTORA

Frederick Douglass, autor desta narrativa, foi uma das milhões de pessoas vítimas do sistema escravagista que vigorou por anos nos Estados Unidos, atingindo o ápice entre os séculos XVIII e XIX. Escravizado desde o berço, Douglass sofreu feridas que doem na alma de qualquer pessoa em contato com sua história. Uma realidade que para muitos parece tão distante, escancarada em memórias viscerais, sangrentas e cruéis, na voz daquele que foi forçado ao silêncio por grande parte da vida.

Apesar de pouco familiarizada com a escravidão estadunidense quando comecei a pesquisa para esta tradução, logo deparei-me com um cenário de horror análogo ao que impregnou as terras brasileiras quase um século antes. O leitor se verá diante de um relato autobiográfico extremamente relevante para refletir sobre a natureza humana em todo o seu escopo — a maldade e o ódio dividindo as páginas com a simplicidade de espírito, a pureza, a perseverança e, acima de tudo, o anseio pelo direito universal da liberdade. A luta de Douglass é a luta dos que foram escravizados no Brasil; é a luta de todos que foram subjugados por conta do racismo.

O legado do mais influente afro-americano do século XIX começa nestas páginas e ecoará até a eternidade. Seu relato é uma viagem para um tempo sufocante e não tão distante do nosso, um labirinto aparentemente sem saída, em que a determinação pessoal de se elevar — e elevar consigo seus irmãos — retirou um homem de um pesadelo genocida que marcou a história de inúmeros países. Para além, Frederick Douglass foi um líder, um agitador no melhor sentido da palavra, logo se tornando o pai do movimento pelos direitos civis americanos.

A dor de Douglass e de seus irmãos escravizados é a dor que os povos pretos carregam até hoje no DNA — a dor e a força que nos permite continuar lutando para que a voz de nosso povo jamais seja amordaçada novamente.

CAPÍTULO 1

Eu nasci em Tuckahoe, perto de Hillsborough e a mais ou menos vinte quilômetros de Easton, no condado de Talbot, Maryland. Não tenho certeza da minha idade, pois nunca vi nenhum registro autêntico que a contivesse. A maior parte dos escravos tem pouco conhecimento de suas idades, e, no meu entendimento, é o desejo da maioria dos senhores manter seus escravos ignorantes. Não me recordo de ter conhecido um escravo que soubesse sua data de aniversário. Eles raramente a conhecem como conhecem o tempo de plantio, de colheita, de plantar cerejas, a primavera ou o outono.

O desejo de informação a respeito do meu aniversário foi fonte de infelicidade durante a minha infância. As crianças brancas sabiam suas idades. Eu não entendia por que era privado do mesmo privilégio. Não podia fazer nenhuma pergunta ao meu senhor a esse respeito. Ele considerava qualquer questionamento por parte de um escravo impróprio e impertinente, evidência de um espírito inquieto. A estimativa mais próxima que posso fazer me dá entre vinte e sete e vinte e oito anos de idade. Cheguei a essa conclusão ouvindo meu senhor dizer, em algum momento de 1837, que eu tinha por volta de dezessete anos.

O nome da minha mãe era Harriet Bailey. Ela era filha de Isaac e Betsey Bailey, ambos negros, de pele bastante escura. Minha mãe tinha a pele mais escura que minha avó e meu avô.

Meu pai era um homem branco. Soube disso por tudo o que era dito a respeito da minha origem. Havia também boatos de que meu senhor era meu pai, mas não sei nada sobre sua veracidade; a forma de confirmar me foi negada. Minha mãe e eu fomos separados quando eu era criança — antes mesmo que eu soubesse que ela era minha mãe. É um costume, naquela parte de Maryland da qual fugi, que crianças ainda pequenas sejam separadas das mães. Frequentemente, antes que a criança faça um ano de idade, sua mãe é levada para trabalhar numa fazenda bem distante, e a criança passa aos cuidados de uma mulher idosa, velha demais para trabalhar no campo. Para que essa separação, não sei, a menos que seja para impedir o desenvolvimento do afeto da criança em relação à mãe, e para atenuar e destruir o afeto natural da mãe pela criança. Esse é o resultado inevitável.

Não vi a minha mãe o bastante para considerá-la como tal. Eu a vi quatro ou cinco vezes em toda a minha vida, sempre por pouco tempo e à noite. Ela foi levada para trabalhar para o sr. Stewart, que vivia a vinte quilômetros de onde eu estava. Ela fazia a jornada para me ver à noite, percorrendo toda a distância a pé, depois de ter trabalhado durante o dia. Ela trabalhava no campo, e ser açoitado é a punição por não estar no campo ao pôr do sol, a não ser que o escravo tenha permissão de seu senhor para o contrário — uma permissão que raramente é concedida; um senhor que a concede recebe o orgulhoso título de senhor gentil. Não me recordo de já ter visto minha mãe durante o dia. Ela estava comigo durante a noite. Deitava-se comigo e me fazia dormir, mas antes que eu acordasse ela já havia partido. Havia pouca comunicação entre nós.

A morte logo findou o pouco que poderíamos ter tido enquanto ela vivia, e com isso findaram também suas dificuldades e sofrimentos. Ela morreu quando eu tinha cerca de sete anos, em uma das fazendas de meu senhor, perto de Lee's Mill. Não fui autorizado a estar presente durante sua doença, nem na morte e no enterro. Ela se foi muito antes de eu saber qualquer coisa sobre o assunto. Nunca tendo desfrutado, de nenhuma maneira considerável, de sua presença tranquilizadora, seu carinho e cuidado, recebi a notícia de sua morte com as mesmas emoções que provavelmente deveria ter sentido com a morte de um estranho.

Chamada assim tão de repente, ela me deixou sem a menor noção de quem era meu pai. O boato de que meu senhor era meu pai pode ou não ser verdadeiro; e, verdadeiro ou falso, é de pouca importância para o meu propósito enquanto permanece o fato, em toda a sua odiosa evidência, que os senhores de escravos ordenaram, e por lei foi estabelecido, que os filhos de mulheres escravas devem em todos os casos seguir a condição de suas mães. E isso é feito muito obviamente para administrar suas próprias concupiscências e fazer com que a satisfação de seus desejos perversos seja lucrativa e prazerosa; pois, por esse arranjo astuto, o senhor de escravos, em muitos casos, mantém com seus escravos a dupla relação de senhor e pai.

Conheço esses casos; e é digno de nota que tais escravos invariavelmente sofrem maiores dificuldades e têm mais com que lidar do que outros. Eles são, em primeiro lugar, uma ofensa constante à senhora da casa. Ela está sempre disposta a encontrar defeitos neles; eles raramente conseguem fazer alguma coisa para agradá-la; ela nunca fica mais satisfeita do que quando os vê sob o chicote, principalmente quando suspeita que o marido faça aos filhos mestiços os favores que nega aos seus escravos negros. O senhor é frequentemente compelido a vender os escravos mestiços, em respeito aos sentimentos de sua esposa branca; e, por mais cruel que pareça essa ação, um homem vender os próprios filhos a traficantes de carne humana é, muitas vezes, o que a humanidade espera que seja feito;

pois, a menos que faça isso, ele deve não apenas açoitá-los com as próprias mãos, mas deve ficar parado e ver um de seus filhos brancos amarrar o irmão, de tom de pele apenas um pouco mais escura do que a dele, e usar o sangrento chicote nas costas nuas. E se o pai diz uma palavra de desaprovação, demonstra sua parcialidade e só piora a situação, tanto para ele quanto para o escravo a quem ele quis proteger e defender.

Todo novo ano traz consigo multidões de escravos mestiços. Sem dúvida, em consequência do conhecimento desse fato, um grande estadista do Sul previu a queda da escravidão pelas leis inevitáveis da população. Independentemente de essa profecia ser cumprida ou não, é evidente que pessoas diferentes daquelas originalmente trazidas da África para este país estão nascendo no Sul e são agora mantidas na escravidão; e, se o aumento delas não fizer outro bem, ao menos acabará com a força do argumento de que Deus amaldiçoou a Cam e, portanto, a escravidão nos Estados Unidos é correta. Se os descendentes lineares de Cam são os únicos que devem ser escravizados tal qual nas escrituras, é certo que a escravidão no Sul logo se tornará antibíblica; pois milhares são trazidos anualmente ao mundo, que, como eu, devem sua existência a pais brancos, e esses pais mais frequentemente são seus próprios senhores.

Tive dois senhores. O nome do primeiro era Anthony. Não me lembro do seu primeiro nome. Ele geralmente era chamado de capitão Anthony — um título que, presumo, adquiriu navegando em uma embarcação na Baía de Chesapeake. Ele não era considerado um senhor de escravos rico. Possuía duas ou três fazendas e cerca de trinta escravos. Suas fazendas e escravos estavam sob os cuidados de um feitor. O nome do feitor era Plummer. O sr. Plummer era um bêbado miserável, um homem profano e um monstro selvagem. Estava sempre armado com um chicote de couro e um bastão pesado. Eu soube que ele golpeava e cortava a cabeça das mulheres de maneira tão horrível que até o meu senhor ficava furioso com sua crueldade e ameaçava açoitá-lo se ele não mudasse.

O senhor, no entanto, não era um dono de escravos compassivo. Era preciso uma barbaridade extraordinária por parte de um feitor para afetá-lo. O feitor era um homem cruel, endurecido por uma longa vida em meio à escravidão. Às vezes, parecia ter grande prazer em açoitar um escravo. Muitas vezes fui acordado de madrugada pelos gritos mais desoladores de uma tia minha, a quem ele costumava amarrar numa viga e açoitar-lhe as costas nuas até que ela estivesse literalmente coberta de sangue. Não havia palavras, lágrimas, orações da vítima ensanguentada que pudessem demover seu coração de ferro de seu propósito sangrento. Quanto mais alto ela gritava, mais ele açoitava; e onde o sangue corria mais rápido, lá ele açoitava por mais tempo. Ele a açoitava para fazê-la gritar e a açoitava para fazê-la calar; e não deixava de balançar o couro coagulado de sangue até ser vencido pelo cansaço.

Lembro-me da primeira vez que assisti a essa exibição horrível. Eu era criança, mas me lembro bem disso. Jamais esquecerei. Foi a primeira de uma longa série de tais acessos de raiva, dos quais eu estava condenado a ser testemunha e participante. Isso me atingiu com uma força terrível. Era o portão manchado de sangue, a entrada para o inferno da escravidão, pela qual eu estava prestes a passar. Foi um espetáculo pavoroso. Eu gostaria de poder expressar no papel os sentimentos com os quais observei tudo.

Esse fato ocorreu logo depois que fui morar com meu antigo senhor, nas seguintes circunstâncias: a tia Hester saiu uma noite — para onde ou para quê, não sei — e estava ausente quando meu senhor desejou sua presença. Ele ordenou que ela não saísse à noite e avisou que nunca deveria deixá-lo flagrá-la em companhia de um jovem, que sabia que ela pertencia ao coronel Lloyd. O nome do jovem era Ned Roberts, geralmente chamado de Ned do Lloyd. Por qual motivo o senhor era tão cuidadoso com ela, está aberto a conjecturas. Era uma mulher de forma nobre e proporções graciosas, e poucas entre as mulheres negras ou brancas de nosso bairro se comparavam a ela na aparência.

A tia Hester não apenas desobedecera a suas ordens ao sair, como fora encontrada em companhia de Ned do Lloyd — essa circunstância, pelo que ele disse enquanto a açoitava, era a principal ofensa. Se ele fosse um homem de moral pura, eu poderia ter pensado que estava interessado em proteger a inocência de minha tia; mas aqueles que o conheceram não suspeitarão que ele tivesse qualquer traço de tal virtude. Antes de começar a espancar a tia Hester, ele a levou para a cozinha e a despiu do pescoço à cintura, deixando o pescoço, os ombros e as costas totalmente nus. Ele então a mandou cruzar as mãos, chamando-a ao mesmo tempo de vadia. Depois de cruzar as mãos dela, ele as amarrou com uma corda forte e a levou a um banquinho sob um grande gancho na trave, feito para os castigos. Ele a fez subir no banquinho e amarrou as mãos no gancho.

Agora, ela estava pronta para o propósito infernal. Seus braços estavam esticados em toda a sua extensão, de modo que ela permanecia na ponta dos dedos dos pés. Ele então disse a ela: "Agora você, vadia, vai aprender a desobedecer a minhas ordens!". E depois de arregaçar as mangas, começou a golpeá-la com o chicote de couro, e logo o sangue quente e vermelho (em meio a gritos de partir o coração dela e pragas horríveis dele) caiu no chão.

Fiquei tão aterrorizado e horrorizado com a visão que me escondi em um armário e não ousei me aventurar a sair até muito depois que a sangrenta transação terminou. Eu esperava ser o próximo. Foi tudo novo para mim. Nunca tinha visto nada parecido antes. Sempre vivi com minha avó nos arredores da plantação, onde ela foi colocada para criar os filhos das mulheres mais jovens. Até então, eu estava fora do caminho das cenas sangrentas que frequentemente ocorriam na plantação.

CAPÍTULO 2

A família do meu senhor consistia em dois filhos, Andrew e Richard; uma filha, Lucretia, e seu marido, o capitão Thomas Auld. Eles moravam em uma casa na fazenda do coronel Edward Lloyd. Meu senhor era o secretário e superintendente do coronel Lloyd. Ele era o que poderia ser chamado de feitor dos feitores.

Passei dois anos da minha infância na plantação da família do meu antigo senhor. Foi ali que testemunhei a sangrenta cena registrada no primeiro capítulo; e como recebi minhas primeiras impressões da minha condição nessa plantação, darei uma descrição dela e da escravidão como lá existia. A plantação fica a cerca de vinte quilômetros ao norte de Easton, no condado de Talbot, e está situada na fronteira do Rio Miles. Os principais produtos cultivados nela eram tabaco, milho e trigo. Estes eram plantados em grande abundância, de modo que, com os produtos desta e de outras fazendas pertencentes ao meu senhor, ele conseguia manter em atividade quase constante um grande saveiro, que levava os produtos ao mercado em Baltimore. Este saveiro foi nomeado Sally Lloyd, em homenagem a uma das filhas do coronel. O genro do meu senhor, o capitão Auld, comandava a embarcação; de resto, era tripulada pelos escravos do coronel. Seus nomes eram Peter, Isaac, Rich e Jake. Estes eram muito admirados pelos outros escravos e vistos como os privilegiados da plantação; pois não era pouca coisa, aos olhos dos escravos, poder ver Baltimore.

O coronel Lloyd mantinha de trezentos a quatrocentos escravos em sua plantação e possuía um número ainda maior nas fazendas vizinhas que lhe pertenciam. Os nomes das fazendas mais próximas da plantação eram Wye Town e New Design. Wye Town estava sob a liderança de um homem chamado Noah Willis. New Design estava sob a direção de um tal sr. Townsend. Os feitores destas, e de todo o resto das fazendas, com mais de vinte anos, recebiam conselhos e orientação dos administradores da fazenda principal. Este era o grande local de negócios. Era a sede administrativa das vinte fazendas. Todas as disputas entre os feitores eram resolvidas lá. Se um escravo fosse condenado por qualquer delito grave, se tornasse incontrolável ou demonstrasse determinação em fugir, era levado imediatamente até lá, açoitado severamente, embarcado a bordo do saveiro, deixado em Baltimore e vendido para Austin Woolfolk ou algum outro traficante de escravos, como um aviso para os escravos restantes.

Também aqui os escravos de todas as outras fazendas recebiam mensalmente comida, e roupas anualmente. Eles recebiam, como auxílio mensal alimentar, oito quilos de carne de porco ou seu equivalente em peixe e um alqueire[1] de fubá. Suas roupas anuais consistiam em duas camisas de linho grosseiras, um par de calças também de linho, uma jaqueta e uma calça de inverno, feitas de tecido grosso, um par de meias e um par de sapatos; o conjunto não poderia ter custado mais que sete dólares. A parte dos filhos de escravos era dada às mães ou às mulheres idosas que cuidavam

1 Alqueire designava originalmente uma das bolsas ou cestas de carga que se punham, atadas e pendentes dos lados, sobre o dorso dos animais usados para transporte de carga. [N. da T.]

THE

WEYMOUTH

ANTI-SLAVERY FAIR!

TO BE HELD AT THE

South-Shore Railroad Depot,

WEYMOUTH LANDING,

WILL OPEN ON

Tuesday Evening, Oct. 30,

AND CONTINUE THROUGH WEDNESDAY AND THURSDAY.

—THE—

ANNUAL TEA-PARTY

At which MR. EDMUND QUINCY is to preside, will take place at the same Hall,

ON THURSDAY EVENING, NOVEMBER 1.

Eloquent Speakers are expected from Boston, Weymouth, and the surrounding towns.

THE ANNUAL DANCING PARTY

WILL BE ON

FRIDAY EVENING, November 2d.

"A Feira Abolicionista de Weymouth. A ser realizada na estação da Ferrovia South Shore"

deles. As crianças incapazes de trabalhar no campo não tinham sapatos, meias, jaquetas ou calças; suas roupas consistiam em duas camisas de linho grosso por ano. Quando as roupas acabavam, elas ficavam nuas até a data de recebê-las novamente. Crianças de sete a dez anos, de ambos os sexos, quase nuas, podem ser vistas em todas as estações do ano.

Camas não eram dadas aos escravos, a menos que um cobertor grosseiro fosse considerado como tal, e apenas homens e mulheres os tinham. Isso, no entanto, não é considerado uma privação muito grande. Eles sofrem menos pela falta de camas do que pela falta de tempo para dormir; pois, quando o dia de trabalho no campo termina, a maioria deles tendo ainda que lavar, remendar e cozinhar, e tendo à sua disposição poucas ou nenhuma das instalações comuns para fazer essas coisas, muitas de suas horas de sono são consumidas preparando-se para o campo no dia seguinte. E quando isso é feito, velhos e jovens, homens e mulheres, casados e solteiros, caem lado a lado, em uma cama comum — o chão frio e úmido —, cobrindo-se com seus cobertores miseráveis; e ali dormem até serem convocados ao campo pela trombeta do feitor.

A esse som, todos devem se levantar e sair para o campo. Não pode haver hesitação, cada um deve estar em seu posto. E ai daqueles que não ouvirem a convocação matinal; pois se não são despertados pelo sentido da audição, são pelos sentidos físicos, sem que haja distinção de sexo ou idade. O sr. Severe, o feitor, ficava parado na porta do alojamento, armado com um grande pau de nogueira e o chicote de couro pesado, pronto para açoitar qualquer um que fosse infeliz o bastante para não ouvir, ou por qualquer outra causa fosse impedido de estar pronto para ir ao campo ao som da trombeta.

O sr. Severe recebeu o nome correto: era um homem cruel. Eu o vi açoitar uma mulher, fazendo o sangue escorrer por meia hora, e isso no meio de seus filhos chorosos que pediam a libertação da mãe. Ele parecia ter prazer em manifestar sua barbárie diabólica. Além de cruel, era um homem de língua profana. Ouvi-lo falar era o suficiente para esfriar o sangue e arrepiar os cabelos de um homem comum. Raramente uma frase escapava da boca dele sem ser iniciada ou concluída por alguma praga horrível.

O campo era o lugar para testemunhar sua crueldade e profanação. Sua presença tornava aquele um lugar de sangue e blasfêmia. Desde o nascer até o pôr do sol, ele xingava, delirava, golpeava e cortava os escravos do campo da maneira mais assustadora. Sua carreira foi curta. Ele morreu logo depois que fui para a propriedade do coronel Lloyd; e morreu da mesma forma que vivia, proferindo, com seus gemidos moribundos, maldições amargas e pragas horríveis. Sua morte foi considerada pelos escravos o resultado de uma providência misericordiosa.

O sr. Severe foi trocado pelo sr. Hopkins. Ele era um homem muito diferente. Era menos cruel, menos profano e fazia menos barulho do que o sr. Severe. Seu percurso não foi caracterizado por nenhuma demonstração extraordinária de crueldade. Ele açoitava, mas parecia não ter prazer nisso. Era chamado pelos escravos de bom feitor.

A plantação doméstica do coronel Lloyd exibia a aparência de uma vila rural. Todas as operações mecânicas para todas as fazendas eram realizadas lá. A fabricação de calçados e os consertos, a ferraria, a estocagem de carroças, a tecelagem e a moagem de grãos eram executadas pelos escravos na fazenda. Todo o local tinha um aspecto comercial muito diferente das propriedades vizinhas. O número de casas também conspirava para dar-lhe vantagem sobre as fazendas vizinhas. O local era chamado pelos escravos de Great House Farm, ou Fazenda da Casa Grande.

Poucos privilégios eram mais estimados, pelos escravos das fazendas, do que serem selecionados para realizar tarefas na Casa Grande. Estava associado em suas mentes à grandeza. Um deputado não poderia estar mais orgulhoso de sua eleição para um lugar no Congresso Americano do que um escravo em uma das fazendas estaria de ser escolhido para levar recados à Casa Grande.

Consideravam isso uma evidência de grande confiança depositada neles por seus superiores; e era por esse motivo, além de um desejo constante de ficar fora do campo, longe do alcance do chicote do feitor, que viam isso como um grande privilégio, pelo qual valia a pena viver com cuidado. Aquele a quem essa honra era concedida com mais frequência era chamado de sujeito mais inteligente e mais confiável. Os que competiam por esse cargo procuravam agradar seus superiores com o mesmo empenho com que os candidatos a cargos nos partidos políticos procuram agradar e enganar o povo. Os mesmos traços de caráter que podem ser vistos nos escravos do coronel Lloyd estão presentes nos escravos dos partidos políticos.

Os escravos selecionados para ir à Casa Grande, pelo auxílio mensal para eles e para seus companheiros escravos, ficavam particularmente entusiasmados. Enquanto estavam a caminho, faziam os bosques densos e antigos, por quilômetros, reverberarem com seus cânticos selvagens, revelando ao mesmo tempo a maior alegria e a mais profunda tristeza. Compunham e cantavam à medida que avançavam, não consultando nem tempo nem melodia. O pensamento que emergia saía — se não na palavra, no som, e com tanta frequência em um quanto no outro. Às vezes, cantavam o sentimento mais comovente no tom mais arrebatador, e o sentimento mais arrebatador no tom mais comovente. Em todas as suas músicas, conseguiam tecer algo sobre a Casa Grande. Faziam isso especialmente quando saíam de casa. Então, cantavam de maneira exultante as seguintes palavras:

Estou indo para a Casa Grande!
Oh, sim! Oh, sim! Oh!

Cantavam, como um coro, palavras que para muitos pareceriam jargões irrelevantes, mas que, ainda assim, eram cheias de significado para eles. Pensei por vezes que o mero ouvir desses cânticos poderia impressionar mais algumas mentes com o caráter horrível da escravidão do que a leitura de volumes inteiros de filosofia sobre o assunto.

Quando escravo, eu não entendia o profundo significado daqueles cânticos grosseiros e aparentemente incoerentes. Era apenas eu mesmo dentro do círculo, de modo que não via nem ouvia como aqueles de fora podem ver e ouvir. As canções contavam uma história de angústia que estava completamente além da minha fraca compreensão; eram notas altas, longas e profundas, exalavam a oração e a queixa de almas fervendo com a mais amarga angústia. Cada nota era um testemunho contra a escravidão e uma oração a Deus pela libertação das correntes. Ouvir essas notas selvagens sempre deprimia meu espírito e me enchia de uma tristeza inefável. Muitas vezes me vi chorando ao ouvi-las. A mera recordação dessas músicas, mesmo agora, me aflige; e enquanto escrevo estas linhas, uma expressão de sentimento já escorreu pela minha face.

Com essas músicas, traço meu primeiro conceito do caráter desumanizante da escravidão. Nunca consigo me livrar desse conceito. As músicas ainda me seguem, para aprofundar meu ódio à escravidão e aumentar minha comiseração por meus irmãos acorrentados. Se alguém quiser ficar impressionado com os efeitos da escravidão capazes de matar a alma, basta ir à plantação do coronel Lloyd e, no dia do recebimento de roupas e comida, colocar-se na profunda floresta de pinheiros e, em silêncio, analisar os sons que passarão pelos recônditos de sua alma — e, se isso não o impressionar, será apenas porque "não há carne em seu coração inflexível"[2].

Desde que cheguei ao Norte, muitas vezes fiquei absolutamente espantado ao encontrar pessoas capazes de falar do canto como evidência do contentamento e felicidade dos escravos. É impossível conceber um erro maior. Os escravos cantam mais quando são

2 No original, "*there is no flesh in his obdurate heart*", retirado do poema *Slavery*, do poeta inglês William Cowper, publicado no livro *Cry for Justice: An Anthology of the Literature of Social Protest*, de 1915. [N. da. T.]

mais infelizes. Os cânticos dos escravos representam as tristezas do seu coração; e elas são aliviadas por esses cânticos, assim como um coração dolorido é aliviado por suas lágrimas. Pelo menos, essa é a minha experiência. Sempre cantei para afogar minha tristeza, mas raramente para expressar minha felicidade. Chorar de alegria e cantar de alegria eram igualmente incomuns para mim enquanto estava nas garras da escravidão. O canto de um homem naufragado em uma ilha deserta pode ser confundido com prova de satisfação e felicidade tal qual o canto de um escravo; os cânticos de um e do outro são motivados pela mesma emoção.

CAPÍTULO 3

O coronel Lloyd mantinha um jardim grande e finamente cultivado que proporcionava emprego quase constante para quatro homens, além do jardineiro-chefe (o sr. M'Durmond). Esse jardim era provavelmente a maior atração do lugar. Durante os meses de verão, as pessoas vinham de longe e de perto — de Baltimore, Easton e Annapolis — para vê-lo.

O jardim era abundante em frutas de quase todas as espécies, desde a maçã firme do Norte até a laranja delicada do Sul. Esse jardim era uma das fontes de problemas na plantação. Seus excelentes frutos eram uma tentação para os enxames famintos de meninos, bem como para os escravos mais velhos, pertencentes ao coronel, poucos dos quais tinham a capacidade de resistir a eles. Quase não havia um dia, durante o verão, em que algum escravo não fosse açoitado por roubar frutas.

O coronel teve que recorrer a todos os tipos de estratagemas para manter seus escravos fora do jardim. O último e mais bem-sucedido foi o de espalhar piche por toda a cerca; depois disso, se um escravo fosse pego com algum piche no corpo, seria prova suficiente de que ele estivera no jardim ou tentara entrar. Em ambos os casos, ele era severamente açoitado pelo jardineiro-chefe. Esse plano funcionou bem; os escravos ficaram com medo tanto do piche quanto do chicote. Pareceram perceber a impossibilidade de tocar o piche sem se sujarem.

O coronel também mantinha esplêndidos meios de transporte. O estábulo e a garagem de carruagens apresentavam a aparência de alguns dos grandes estabelecimentos com a mesma finalidade na cidade. Seus cavalos tinham o melhor físico e o sangue mais nobre. Sua garagem continha três esplêndidas carruagens, três ou quatro cabriolés[3], além de caleches[4] e *barouches*[5] do estilo mais moderno.

Esse estabelecimento estava sob os cuidados de dois escravos — o Velho Barney e o Jovem Barney —, pai e filho. Servir a esse estabelecimento era o único trabalho deles. Mas não era de forma alguma um emprego fácil, pois em nada o coronel Lloyd era mais meticuloso do que na administração de seus cavalos. A menor desatenção a eles era imperdoável e estopim para a mais severa punição. Nenhuma desculpa poderia protegê-los se o coronel suspeitasse de alguma falta de atenção a seus cavalos — uma suposição que ele costumava fazer e que, é claro, tornava o cargo do Velho e do Jovem Barney muito difícil. Eles nunca sabiam quando estavam a salvo do castigo. Eram frequentemente açoitados quando menos mereciam, e escapavam do chicote quando mais mereciam. Tudo dependia da aparência dos cavalos e do estado de espírito do coronel Lloyd quando estes fossem levados a ele para uso. Se um cavalo não andava rápido o suficiente ou não mantinha a cabeça erguida o bastante, isso era devido a alguma falha de seus tratadores.

3 Carruagem pequena, leve e rápida, de duas rodas, capota móvel, e movida por apenas um cavalo. [N. da T.]

4 Carruagem do século XVIII inventada na França, com quatro rodas e dois assentos duplos, um de frente para o outro. [N. da T.]

5 Carruagem semelhante à caleche, porém com apenas duas rodas. [N. da T.]

Era doloroso ficar perto da porta do estábulo e ouvir as várias queixas contra os tratadores quando um cavalo era levado para uso. "Este cavalo não recebeu a devida atenção; ele não foi suficientemente esfregado e escovado, ou não foi alimentado adequadamente; sua comida estava muito úmida ou muito seca; ele a recebeu muito cedo ou muito tarde; estava muito quente ou muito frio; ele tinha muito feno e pouco grão; ou tinha muito grão e pouco feno; em vez de o Velho Barney cuidar do cavalo, ele o deixou de maneira muito imprópria aos cuidados do filho."

A todas essas reclamações, por mais injustas que fossem, o escravo nunca devia responder uma palavra. O coronel Lloyd não aceitava nenhuma contestação de escravo. Quando ele falava, o escravo devia ficar de pé, ouvir e tremer; e esse era literalmente o caso. Vi o coronel Lloyd fazer o Velho Barney, um homem entre cinquenta e sessenta anos, descobrir sua cabeça careca, ajoelhar-se no chão frio e úmido e receber sobre os ombros nus e desgastados mais de trinta chicotadas na época.

O coronel Lloyd tinha três filhos — Edward, Murray e Daniel — e três genros, o sr. Winder, o sr. Nicholson e o sr. Lowndes. Todos viviam na Casa Grande e desfrutavam do luxo de açoitar os escravos quando quisessem, desde o Velho Barney até William Wilkes, o cocheiro. Vi Winder fazer com que um dos escravos se afastasse dele a uma distância suficiente para ser tocado apenas com a ponta do chicote, e a cada golpe abriam-se grandes sulcos em suas costas.

Descrever a riqueza do coronel Lloyd seria quase igual a descrever as riquezas de Jó. Ele mantinha de dez a quinze escravos na casa. Dizia-se que ele possuía mil escravos, e acho que essa estimativa está perto da verdade. O coronel Lloyd tinha tantos que não os reconhecia quando os via; nem todos os escravos das fazendas o conheciam. Conta-se que, enquanto andava pela estrada um dia, o coronel encontrou um homem negro e se dirigiu a ele à maneira usual de falar com pessoas negras nas vias públicas do Sul:

— Bem, garoto, a quem você pertence?

— Ao coronel Lloyd — respondeu o escravo.

— E o coronel te trata bem?

— Não, senhor — foi a resposta rápida.

— O que foi, ele te faz trabalhar muito?

— Sim, senhor.

— Bem, ele não te dá o suficiente para comer?

— Sim, senhor, ele me dá o suficiente.

O coronel, depois de verificar onde o escravo ficava, seguiu em frente; o homem também continuou com suas tarefas, sem sonhar que estivera conversando com seu senhor. Ele não pensou, não falou e não ouviu mais nada sobre o assunto, até duas ou três semanas depois. O pobre homem foi então informado pelo feitor de que, por ter criticado seu senhor, ele agora seria vendido a um comerciante da Geórgia. Foi imediatamente acorrentado e algemado; e assim, sem nenhum aviso, foi apanhado e separado para sempre de sua família e amigos por uma mão mais implacável que a morte. Essa é a penalidade por dizer a verdade, por dizer a simples verdade, em resposta a uma série de perguntas claras.

É parcialmente em consequência de tais fatos que os escravos, quando questionados sobre sua condição e o caráter de seus senhores, dizem quase universalmente que estão satisfeitos, e que seus senhores são gentis. Sabe-se que os senhores enviam espiões entre os escravos para avaliar suas opiniões e sentimentos em relação à sua condição. A frequência disso teve o efeito de estabelecer entre os escravos a máxima de que a língua calada faz a cabeça sábia. Eles suprimem a verdade em vez de sofrer as consequências de contá-la e, ao fazê-lo, provam ser parte da família humana. Se tiverem algo a dizer sobre seus senhores, geralmente é a favor deles, especialmente quando falam com um homem que ainda não conhecem.

Muitas vezes me perguntaram, quando escravo, se tinha um senhor amável, e não me lembro de ter dado uma resposta negativa; nem eu, dizendo isso, considerava o que estava proferindo absolutamente falso, pois sempre medi a bondade de meu senhor pelo padrão de bondade estabelecido entre os senhores de escravos à nossa volta. Além disso, os escravos são como as outras pessoas e absorvem preconceitos bastante comuns aos outros. Eles estimam os seus mais do que os outros. Muitos, sob a influência desse preconceito, acham que seus próprios senhores são melhores que os senhores de outros escravos; e pensam dessa forma também, em alguns casos, quando o inverso é verdadeiro.

De fato, não é incomum que os escravos debatam e discutam entre si sobre a bondade relativa de seus senhores, cada um lutando pela bondade superior do seu sobre a dos outros. Ao mesmo tempo, reprovam mutuamente seus senhores quando vistos separadamente. Era o que acontecia em nossa plantação. Quando os escravos do coronel Lloyd encontravam os escravos de Jacob Jepson, eles raramente se separavam sem antes brigar pelos seus senhores; os escravos do coronel Lloyd alegando que ele era mais rico, e os do sr. Jepson que ele era mais inteligente e mais homem. Os escravos do coronel Lloyd ostentavam sua capacidade de comprar e vender Jacob Jepson. Os escravos do sr. Jepson ostentavam sua capacidade de açoitar o coronel Lloyd.

Essas discussões quase sempre terminavam em uma briga entre as partes, e a que batia na outra supostamente vencia o debate. Eles pareciam pensar que a grandeza de seus senhores era transferível para si mesmos. Ser escravo era considerado ruim o suficiente, mas ser escravo de um homem pobre era considerado uma vergonha!

CAPÍTULO 4

O sr. Hopkins permaneceu pouco tempo no cargo de feitor. Por que sua carreira foi tão curta, não sei, mas suponho que ele não tinha a severidade necessária para se adequar ao coronel Lloyd. O sr. Hopkins foi sucedido pelo sr. Austin Gore, um homem que tinha, em um grau elevado, todos esses traços de caráter indispensáveis ao que é chamado de feitor de primeira linha. O sr. Gore havia servido o coronel Lloyd como feitor em uma das fazendas externas e se mostrara digno do alto cargo de feitor na Casa Grande.

O sr. Gore era orgulhoso, ambicioso e perseverante. Era astuto, cruel e obstinado. Era o homem certo para um lugar assim, e o lugar era certo para um homem como ele. Isso dava margem para o pleno exercício de todos os seus poderes, e ele parecia perfeitamente à vontade. Era um daqueles que podiam encarar o menor olhar, palavra ou gesto de um escravo como desaforo, e o tratava de acordo. Não devia haver resposta a ele; nenhum tipo de desculpa era permitido a um escravo, nem mesmo para demonstrar ter sido injustamente acusado.

O sr. Gore agia de acordo com a máxima estabelecida pelos senhores de escravos: "É melhor que uma dúzia de escravos sofra sob o chicote do que o feitor ser condenado, na presença dos escravos, por ter cometido uma falta". Não importava quão inocente fosse um escravo — não lhe valia nada quando acusado pelo sr. Gore de algum mau comportamento. Ser acusado era ser condenado, e ser condenado era ser punido; uma coisa sempre seguia a outra com certeza imutável. Escapar do castigo era escapar da acusação, e poucos escravos tiveram a sorte de fazê-lo sob a direção de Gore. Ele era orgulhoso o suficiente para exigir a homenagem mais degradante de um escravo e servil o bastante para se agachar aos pés do senhor. Era ambicioso o bastante para não se contentar com nada menos que o mais alto posto de feitor, e perseverante o suficiente para atingir o auge de sua ambição. Era cruel o suficiente para infligir a punição mais severa, astuto o bastante para recorrer aos truques mais baixos e obstinado o suficiente para ser insensível à voz de uma consciência reprovadora. De todos os feitores, ele era o mais temido pelos escravos. Sua presença era dolorosa; seus olhos irradiavam confusão; e raramente sua voz aguda e estridente era ouvida sem produzir horror e tremores.

O sr. Gore era um homem sério e, apesar de jovem, não se divertia com piadas, não dizia palavras engraçadas e raramente sorria. Suas palavras estavam em perfeita harmonia com sua aparência, e esta, em perfeita harmonia com suas palavras. Os feitores às vezes se entregam a conversas espirituosas, mesmo com os escravos; não era assim com o sr. Gore. Ele falava apenas para comandar, e comandava para ser obedecido; lidava com suas palavras moderadamente, e abundantemente com seu chicote, nunca usando as primeiras onde o último fosse a resposta. Quando açoitava, parecia fazê-lo por um senso de dever, e não temia consequências. Não fazia nada com relutância, não importava quão desagradável fosse; estava sempre em seu posto, nunca era inconsistente. Nunca prometia se não fosse cumprir. Era um homem da firmeza mais inflexível e frio como uma pedra.

Sua barbárie selvagem era igualada apenas pela frieza consumada com a qual ele cometia as ações mais grosseiras e selvagens contra os escravos sob seu comando. O sr. Gore certa vez se comprometeu a açoitar um dos escravos do coronel Lloyd, com o nome de Demby. Ele dera a Demby poucas chicotadas quando, para se livrar do flagelo, Demby correu e mergulhou em um riacho, e ficou lá com a água batendo nos ombros, recusando-se a sair. O sr. Gore disse a ele que o chamaria três vezes e que, se não fosse atendido na terceira vez, ele o mataria. Chamou pela primeira vez. Demby não respondeu, mas se manteve firme. A segunda e a terceira chamadas foram realizadas com o mesmo resultado. O sr. Gore, então, sem consulta nem deliberação com ninguém, nem mesmo dando a Demby mais uma oportunidade, levantou o mosquete na altura do rosto, mirando mortalmente na vítima aos seus pés e, em um instante, o pobre Demby não existia mais. Seu corpo mutilado sumiu de vista, e o sangue e o cérebro mancharam a água onde ele estivera.

Um arrepio de horror passou por todas as almas na plantação, exceto pela do sr. Gore. Só ele parecia calmo. O coronel Lloyd e meu antigo senhor perguntaram ao sr. Gore por que ele agira dessa maneira. Sua resposta foi (pelo que me lembro) que Demby se tornara incontrolável. Ele estava dando um exemplo perigoso para os outros escravos — que, se ocorresse sem que ele fizesse alguma coisa, levaria finalmente à subversão total de todas as regras e ordens da plantação. Ele argumentou que, se um escravo se recusasse a ser corrigido e escapasse com vida, os outros escravos logo copiariam o exemplo, cujo resultado seria a liberdade dos escravos e a escravização dos brancos. A defesa do sr. Gore foi satisfatória. Ele foi mantido em sua posição como feitor da plantação. Sua fama como feitor se espalhou. Seu crime horrível nem foi submetido a investigação judicial. Foi cometido na presença de escravos, e é claro que eles não podiam instaurar um processo, nem testemunhar contra ele; e, assim, o culpado de um dos assassinatos mais sangrentos e sujos não teve justiça, e seguiu protegido pela comunidade em que vivia. O sr. Gore morava em St. Michael, no condado de Talbot, Maryland, quando eu saí de lá; e, se ainda estiver vivo, provavelmente vive lá

Nota de 50 dólares de Maryland.

Crédito editorial: Prachaya Roekdeethaweesab

agora. E, se assim for, ele é agora, como era na época, tão estimado e respeitado como se sua alma culpada não tivesse sido manchada com o sangue de um homem.

Falo com conhecimento quando digo isso — que matar um escravo ou qualquer pessoa negra no condado de Talbot, Maryland, não é tratado como crime, nem pelos tribunais nem pela comunidade. Thomas Lanman, de St. Michaels, matou dois escravos, um deles com um machado, arrancando-lhe o cérebro. Ele costumava se orgulhar de ter cometido esse ato terrível e sangrento. Eu o ouvi rir dizendo, entre outras coisas, que era o único benfeitor de seu país na companhia e que, quando outros fizessem tanto quanto ele, ficaríamos livres dos "malditos negros".

A esposa do sr. Giles Hicks, morando a uma curta distância de onde eu morava, assassinou a prima de minha esposa, uma jovem entre quinze e dezesseis anos de idade, mutilando-a da maneira mais horrível, quebrando o nariz e o esterno[6] com um porrete, de forma que a pobre garota morreu algumas horas depois. Ela foi imediatamente enterrada, mas não ficou em seu prematuro túmulo por muitas horas antes de ser levada e examinada pelo médico legista, que decidiu que ela havia morrido por espancamento grave.

O motivo pelo qual essa garota foi assassinada foi o seguinte: ela havia sido colocada naquela noite para cuidar do bebê da sra. Hicks, e durante a noite adormeceu e o bebê chorou. Ela, tendo passado várias noites sem descanso, não ouviu o choro. Os dois estavam no quarto com a sra. Hicks. A sra. Hicks, achando que a garota demorava a se mover, pulou da cama, pegou um porrete de madeira junto da lareira e, com ele, quebrou o nariz e o esterno da menina, e assim acabou com sua vida. Não direi que esse assassinato horrível não produziu nenhuma sensação na comunidade. Produziu sensação,

6 Osso geralmente longo e achatado, situado no tórax dos vertebrados (com exceção dos peixes), e que no ser humano se articula com as primeiras sete costelas e as clavículas. [N. da T.]

mas não o suficiente para levar a assassina a um castigo. Houve um mandado para sua prisão, mas nunca foi cumprido. Assim, ela escapou não apenas do castigo, mas também da dor de ser julgada perante um tribunal por seu crime horrível.

Já que estou detalhando ações sangrentas que ocorreram durante minha estada na plantação do coronel Lloyd, narrarei brevemente outra, que aconteceu na mesma época do assassinato de Demby pelo sr. Gore.

Os escravos do coronel Lloyd costumavam passar uma parte de suas noites e domingos pescando ostras e, dessa maneira, compensavam a insuficiência do escasso auxílio alimentar. Um velho pertencente ao coronel Lloyd ultrapassou os limites da propriedade e entrou na fazenda do sr. Beal Bondly. Nessa transgressão, o sr. Bondly se ofendeu e, com seu mosquete, desceu à costa e disparou seu conteúdo mortal no pobre velho.

O sr. Bondly foi falar com o coronel Lloyd no dia seguinte, para pagar por sua propriedade ou para se justificar pelo que havia feito, não sei. De qualquer forma, toda essa transação demoníaca foi logo abafada. Muito pouco foi dito sobre isso e nada foi feito. Era um ditado comum, mesmo entre os garotinhos brancos, que custava meio centavo matar um negro e meio centavo enterrar um.

CAPÍTULO 5

Quanto ao meu próprio tratamento enquanto vivia na fazenda do coronel Lloyd, posso dizer que era muito semelhante ao das outras crianças escravas. Eu não tinha idade suficiente para trabalhar no campo e, havendo pouco mais que trabalho de campo para fazer, eu tinha muito tempo livre. O máximo que tinha a fazer era conduzir as vacas à noite, manter as aves longe do jardim, manter o quintal limpo e fazer tarefas para a filha do meu antigo senhor, a sra. Lucretia Auld. Passava a maior parte do meu tempo livre ajudando o sr. Daniel Lloyd a encontrar seus pássaros, depois que ele havia atirado neles. Minha ligação com o sr. Daniel foi de certa vantagem para mim. Ele se tornou bastante apegado a mim e me era uma espécie de protetor. Não permitia que os meninos mais velhos me importunassem e dividia seus bolos comigo.

Raramente fui açoitado pelo meu antigo senhor e não sofri quase nada além de fome e frio. Sofria muito de fome, mas muito mais de frio. No verão mais quente e no inverno mais frio, ficava quase nu — sem sapatos, sem meias, sem jaqueta, sem calças, nada além de uma camisa grossa de linho, chegando apenas aos joelhos. Eu não tinha cama. Deveria ter morrido de frio, mas nas noites mais frias costumava roubar uma bolsa usada para transportar milho para o moinho. Rastejava para dentro dessa bolsa e lá dormia no chão frio e úmido de barro, com a cabeça dentro e os pés para fora. Meus pés ficaram tão rachados pelo gelo que a caneta com a qual estou escrevendo poderia se encaixar nos cortes.

Não recebíamos nosso sustento regularmente. Nossa comida era farinha de milho grossa fervida. Isso era chamado de mingau. Era colocado em uma grande bandeja ou cocho de madeira e deixado no chão. As crianças eram então chamadas, como uma vara de porcos, e, como uma vara de porcos, vinham e devoravam o mingau; algumas com conchas de ostras, outras com pedaços de cascalho, mais outras com as mãos nuas e nenhuma com colheres. Quem comia mais rápido ficava com mais, a criança mais forte garantia o melhor lugar e poucas deixavam o cocho satisfeitas.

Eu provavelmente tinha entre sete e oito anos quando saí da plantação do coronel Lloyd. Saí com alegria. Jamais esquecerei o êxtase com o qual recebi a notícia de que meu antigo senhor (Anthony) havia decidido me deixar ir a Baltimore, para morar com o sr. Hugh Auld, irmão do genro do meu outro antigo senhor, o capitão Thomas Auld. Recebi essas informações cerca de três dias antes da minha partida. Foram três dos dias mais felizes da minha vida. Passei a maior parte de todos esses três dias no riacho, lavando-me da sujeira da plantação e preparando-me para a partida.

Esse comportamento orgulhoso não era coisa minha. Passei o tempo lavando-me, não tanto porque desejava, mas porque a sra. Lucretia havia me dito que eu devia tirar toda a pele morta dos meus pés e joelhos antes de poder ir para Baltimore, pois as pessoas em Baltimore eram muito limpas e ririam de mim se eu parecesse sujo. Além disso, ela ia me dar uma calça, que eu não deveria vestir a menos que tirasse toda a sujeira de mim. A ideia de possuir uma calça era realmente empolgante! Era motivo quase suficiente não apenas para me fazer tirar o que era chamado pelos criadores de porcos de

ABINGTON
ANTI-SLAVERY FAIR
AND
LEVEE.

The Anti Slavery friends of Abington & vicinity will hold a Fair & Levee

AT UNION HALL!

NORTH ABINGTON,

ON THE AFTERNOON AND EVENING OF TUESDAY, JAN. 31,

When will be offered for sale a variety of Useful and Fancy Articles.

In the evening there will be Speaking by WM. LLOYD GARRISON, and others, interspersed with VOCAL AND INSTRUMENTAL MUSIC by the EAST ABINGTON QUARTETTE CLUB, and other excellent and well known Musicians, together with the different Amusements usual on such occasions.

ON WEDNESDAY EVENING, FEB. 1st, there will be a

SOC'L DANCING PARTY!

Under their auspices, at the same place, commencing at 7 1-2 o'clock. MUSIC BY FRENCH'S BAND. Abundant Refreshments may be had at the Hall on both evenings.

☞ Admission to the Fair and Levee, 25 Cents. At the Dance, 50 Cents. Tickets to be had at the door. ALL ARE INVITED TO ATTEND.

NORTH ABINGTON, Jan. 23, 1860.

C. G. Easterbrook, Pr. - - - - Standard Press, Vaughn's Buildings, Centre Avenue, Abington.

"Feira Abolicionista de Abington e reunião de visitantes."

sarna, mas a própria pele. Esforcei-me bastante, trabalhando pela primeira vez com a esperança de recompensa.

Os laços que normalmente prendem as crianças às suas casas foram todos suspensos no meu caso. Não encontrei grande sofrimento em minha partida. Minha casa não tinha encanto, não era o meu lar; ao me afastar, não conseguia sentir que estava deixando algo de que poderia ter desfrutado ao ficar. Minha mãe estava morta, minha avó morava longe, de modo que raramente a via. Eu tinha duas irmãs e um irmão, que moravam na mesma casa comigo; mas a separação precoce entre nós e nossa mãe quase apagou nosso relacionamento de nossas memórias. Eu procurava por um lar em outro lugar e confiava em não encontrar nada de que gostasse menos do que aquele que estava deixando.

Se, no entanto, encontrei em meu novo lar dificuldades, fome, chicotadas e nudez, tive o consolo de que não teria escapado de nada disso ao ficar. Tendo já tido mais do que uma amostra dessas coisas na casa do meu antigo senhor e tendo-as suportado lá, naturalmente deduzi minha capacidade de suportá-las em outros lugares, especialmente em Baltimore; pois eu tinha um pressentimento sobre Baltimore, expresso no provérbio de que "é melhor ser enforcado na Inglaterra que ter morte natural na Irlanda".

Eu tinha um forte desejo de ver Baltimore. O primo Tom, embora não falasse muito, me inspirou esse desejo por sua descrição eloquente do lugar. Eu nunca conseguia destacar nada na Casa Grande, por mais bonito ou poderoso que fosse, pois ele tinha visto algo em Baltimore muito superior, tanto em beleza quanto em força, ao objeto que eu lhe apontava. Até a própria Casa Grande, com todos os seus quadros, era muito inferior a vários edifícios em Baltimore. Meu desejo era tão forte que achei que a gratificação de estar lá compensaria totalmente qualquer perda de conforto que eu devesse suportar com a troca. Saí sem lamentação e com as maiores esperanças de felicidade futura.

Partimos do Rio Miles para Baltimore em uma manhã de sábado. Lembro-me apenas do dia da semana, pois naquela época não tinha conhecimento dos dias do mês, nem dos meses do ano. Ao zarpar, fui até a popa e dei à plantação do coronel Lloyd o que eu esperava ser o último olhar. Então me coloquei na proa do saveiro e passei o resto do dia olhando para o futuro, interessando-me pelo que estava à frente e não pelas coisas próximas ou atrás.

Na tarde daquele dia, chegamos a Annapolis, a capital do estado. Paramos apenas alguns instantes, por isso não tive tempo de ir à praia. Foi a primeira cidade grande que vi e, embora parecesse pequena em comparação a algumas de nossas aldeias fabris na Nova Inglaterra, achei o lugar maravilhoso para o seu tamanho — mais imponente do que a Casa Grande!

Chegamos a Baltimore no domingo de manhã cedo, desembarcando no Cais de Smith, não muito longe do Cais de Bowley. Tínhamos a bordo do saveiro um grande rebanho de ovelhas; e, depois de ajudar a levá-las ao matadouro do sr. Curtis, em Louden Slater's Hill, fui conduzido por Rich, um dos ajudantes pertencentes à tripulação do saveiro, à minha nova casa na Rua Alliciana, perto do estaleiro do sr. Gardner, em Fells Point.

O sr. e a sra. Auld estavam em casa e me receberam na porta com o filho pequeno, Thomas, de quem eu fora enviado para cuidar. E aqui vi o que nunca tinha visto antes: era um rosto branco, sorrindo com as emoções mais gentis; o rosto da minha nova senhora, Sophia Auld. Eu gostaria de poder descrever o arrebatamento que passou pela minha alma ao vê-la. Era uma visão nova e estranha para mim, iluminando meu caminho com a luz da felicidade. O pequeno Thomas foi informado de que lá estava o seu *Freddy* — e me disseram para cuidar dele. Assim assumi os deveres do meu novo lar com a expectativa mais animadora.

Considero minha saída da fazenda do coronel Lloyd um dos acontecimentos mais interessantes da minha vida. É possível, e até bastante provável, que, exceto pela mera circunstância de ter sido levado daquela plantação para Baltimore, eu deveria estar hoje, em vez de estar aqui sentado à minha mesa, desfrutando da liberdade e da felicidade doméstica e escrevendo esta narrativa, confinado nas correntes da escravidão. Ir morar em Baltimore lançou as bases e abriu a porta para toda a minha prosperidade subsequente. Já considerei o fato como a primeira manifestação clara daquela providência gentil que desde então me assistiu e marcou minha vida com tantos favores. Considero o fato de terem me escolhido um tanto notável. Havia várias crianças escravas que poderiam ter sido enviadas da plantação para Baltimore. Havia as mais jovens, as mais velhas e as da mesma idade. Fui escolhido dentre todas elas e fui a primeira, a última e a única escolha.

Posso ser considerado supersticioso e até egoísta ao ver esse acontecimento como uma interposição especial da providência divina a meu favor. Mas seria infiel aos sentimentos mais antigos da minha alma se suprimisse a minha opinião. Prefiro ser fiel a mim mesmo, mesmo correndo o risco de ser ridicularizado pelos outros, a ser falso e sofrer minha própria aversão. Desde a minha lembrança mais antiga, eu entretinha a profunda convicção de que a escravidão nem sempre seria capaz de me segurar em seu abraço imundo; e nas horas mais sombrias da minha *carreira* na escravidão, essa palavra viva de fé e espírito de esperança não se afastou de mim, mas permaneceu como um anjo auxiliar para me animar através da escuridão. Esse bom espírito era de Deus, e a ele ofereço ações de graça e louvor.

CAPÍTULO 6

Minha nova senhora provou ser tudo o que achei quando a conheci à porta — uma mulher do coração mais gentil e dos melhores sentimentos. Ela nunca tivera um escravo sob seu controle antes de mim e, antes de seu casamento, dependera do próprio trabalho para viver. Era tecelã por profissão, e, pela dedicação constante aos seus negócios, fora em boa medida preservada dos efeitos desagradáveis e desumanizadores da escravidão. Fiquei totalmente surpreso com sua bondade. Mal sabia como me comportar em relação a ela. Era completamente diferente de qualquer outra mulher branca que eu já tinha visto. Não podia abordá-la como estava acostumado a abordar outras mulheres brancas. Minha instrução inicial estava confusa. A servidão quieta, geralmente uma qualidade tão aceitável em um escravo, não deu frutos com ela. Sua benevolência não foi conquistada por isso; na verdade, parecia perturbá-la. Ela não achava indecente nem rude que um escravo a encarasse. O escravo mais malcriado ficava completamente tranquilo em sua presença, e ninguém saía sem se sentir melhor por ter visto a senhora. Seu rosto era feito de sorrisos celestiais e sua voz de música tranquila.

Mas infelizmente esse coração amável teve pouco tempo para permanecer assim. O veneno fatal do poder irresponsável já estava em suas mãos e logo começou seu trabalho infernal. Aquele olhar alegre, sob a influência da escravidão, logo ficou vermelho de raiva; aquela voz, toda feita de doce harmonia, mudou para uma voz de discórdia áspera e horrível; e aquele rosto angelical deu lugar ao de um demônio.

Logo depois que fui morar com o sr. e a sra. Auld, ela gentilmente começou a me ensinar o alfabeto. Depois que aprendi isso, ela me ajudou a aprender a soletrar palavras de três ou quatro letras. Nesse momento do meu progresso, o sr. Auld descobriu o que estava acontecendo e imediatamente proibiu a sra. Auld de me instruir ainda mais, dizendo a ela, entre outras coisas, que era ilegal, além de inseguro, ensinar um escravo a ler. Para usar suas próprias palavras, além disso, ele disse: "Se você der um centímetro a um negro, ele pegará um metro. Um negro não deve saber nada além de obedecer a seu senhor, fazer o que ele manda. O aprendizado estraga o melhor negro do mundo. Agora", disse ele, "se você ensinasse esse negro (falando de mim) a ler, não haveria como mantê-lo. Isso o impediria para sempre de ser escravo. Ele se tornaria incontrolável, e sem valor para o seu senhor. Quanto a ele mesmo, isso não lhe faria nenhum bem, mas sim muito dano. Ficaria descontente e infeliz". Essas palavras entraram fundo no meu coração, despertaram sentimentos até então adormecidos e trouxeram à existência uma linha de pensamento inteiramente nova.

Era uma revelação nova e especial, explicando coisas sombrias e misteriosas com as quais minha compreensão juvenil havia lutado, mas em vão. Agora eu entendia o que tinha sido para mim a dificuldade mais desconcertante — conhecer o poder do homem branco de escravizar o homem negro. Foi uma grande conquista, e eu a valorizei muito. A partir desse momento, entendi o caminho da escravidão para a liberdade. Era exatamente o que eu queria e consegui no momento em que menos esperava.

Ainda que me entristecesse a ideia de perder a ajuda de minha amável senhora, fiquei satisfeito com as instruções inestimáveis que, por mero acidente, obtive do meu senhor. Embora consciente da dificuldade de aprender sem um professor, parti com grande esperança e com o propósito fixo de, a qualquer custo, aprender a ler. A maneira muito decidida como ele falou e se esforçou para impressionar sua esposa com as más consequências de me dar instruções serviu para me convencer de que ele sentia profundamente as verdades que estava proferindo. Ele me deu a melhor garantia de que eu poderia acreditar com a máxima confiança nos resultados que, ele disse, receberia se aprendesse a ler. O que ele mais temia era o que eu mais desejava. O que ele mais amava era o que eu mais odiava. O que para ele era um grande mal, a ser cuidadosamente evitado, era para mim um grande bem, a ser diligentemente procurado; e o argumento que ele tão calorosamente proferiu contra o meu aprendizado da leitura serviu apenas para me inspirar o desejo e a determinação de aprender. Devo meu aprendizado quase tanto à amarga oposição de meu senhor quanto à gentil ajuda de minha senhora. Reconheço o benefício de ambos.

Eu morava havia pouco tempo em Baltimore quando observei uma diferença marcante no tratamento dos escravos em relação àquele que havia testemunhado no campo. Um escravo da cidade é quase um homem livre, se comparado com um escravo da plantação. É muito melhor alimentado e vestido, e desfruta de privilégios totalmente desconhecidos para o escravo da plantação. Há um vestígio de decência, um sentimento de vergonha, que fazem muito para conter e controlar os surtos de crueldade atroz, tão comumente praticados na plantação. Um homem que choca a humanidade dos vizinhos que não são senhores de escravos com os gritos de seus escravos punidos é um homem desesperado. Poucos estão dispostos a incorrer no ódio associado à reputação de ser um senhor cruel; e, acima de tudo, eles não queriam ser conhecidos como ruins o bastante para não dar aos escravos o suficiente para comer. Todo senhor de escravos da cidade anseia que todos saibam que ele alimenta bem seus escravos; e é dever dos escravos dizer que a maioria dos senhores dá a eles o suficiente para comer.

Existem, no entanto, algumas exceções dolorosas a essa regra. Bem na nossa frente, na Rua Philpot, morava o sr. Thomas Hamilton. Ele possuía duas escravas. Seus nomes eram Henrietta e Mary. Henrietta tinha cerca de vinte e dois anos, Mary, quatorze; e de todas as criaturas mutiladas e emaciadas que já vi, essas duas eram as mais maltratadas. O coração dele devia ser mais duro do que pedra, para que pudesse olhar para elas sem se comover. A cabeça, o pescoço e os ombros de Mary foram literalmente cortados em pedaços. Muitas vezes toquei a cabeça dela e a descobri quase coberta de feridas purulentas, causadas pelo chicote de sua cruel senhora.

Não sei se o senhor a açoitava, mas testemunhei a crueldade da sra. Hamilton. Eu ia à casa do sr. Hamilton quase todos os dias. A sra. Hamilton costumava sentar-se em uma grande cadeira no meio da sala, com um chicote de couro pesado sempre ao seu lado, e mal uma hora se passava durante o dia antes de ser marcada pelo sangue de uma dessas escravas. As meninas raramente passavam por ela sem ouvir: "Ande mais rápido, sua preta burra!", ao mesmo tempo em que lhes dava um golpe com o chicote na cabeça ou nos ombros, frequentemente tirando sangue. Ela então dizia: "Tome isso, sua preta burra!", e continuava: "Se você não andar mais rápido, eu te faço andar!".

Além dos açoites cruéis a que essas escravas eram submetidas, eram mantidas quase mortas de fome. Raramente sabiam o que era comer uma refeição completa. Vi Mary disputando com os porcos as sobras jogadas na rua. Ela foi chutada e cortada em pedaços tantas vezes, que costumava ser chamada mais de "bicada" do que pelo próprio nome.

CAPÍTULO 7

Morei com a família do sr. Hugh por cerca de sete anos. Durante esse período, consegui aprender a ler e escrever. Para fazer isso, fui obrigado a recorrer a vários estratagemas. Eu não tinha professor regular. Minha senhora, que gentilmente começara a me instruir, não apenas deixou de fazê-lo, de acordo com os conselhos e as orientações do marido, como também se opôs a que eu fosse instruído por qualquer outra pessoa. Devo, no entanto, dizer que minha senhora não adotou esse tratamento imediatamente. A princípio, ela não tinha a depravação indispensável para me calar na escuridão mental. Era pelo menos necessário que ela tivesse algum treinamento no exercício do poder irresponsável para tornar-se capaz da tarefa de me tratar como se eu fosse um bruto.

Minha senhora era, como eu disse, uma mulher gentil e de bom coração; e, na simplicidade de sua alma, começou, quando fui morar com ela, a me tratar como supunha que um ser humano deveria tratar outro. Ao assumir os deveres de uma senhora de escravos, ela não pareceu perceber que mantive com ela a relação de um mero bem material, e que me tratar como um ser humano não era apenas errado, mas perigoso.

A escravidão provou ser tão prejudicial para ela quanto para mim. Quando lá cheguei, ela era uma mulher piedosa, calorosa e de coração terno. Não havia tristeza nem sofrimento pelos quais não derramasse uma lágrima. Tinha pão para os famintos, roupas para os nus e conforto para todos os que estavam ao seu alcance. A escravidão logo provou sua capacidade de despojar-se dessas qualidades celestiais. Sob sua influência, o coração terno tornou-se pedra, e o temperamento de cordeiro deu lugar a uma ferocidade de tigre.

O primeiro passo em seu curso decadente foi deixar de me instruir. Ela então começou a praticar os preceitos de seu marido. Finalmente, tornou-se ainda mais violenta em sua oposição do que o próprio marido. Não estava satisfeita em simplesmente fazer o que ele havia ordenado; parecia ansiosa para fazer melhor. Nada parecia deixá-la mais brava do que me ver com um jornal. Ela parecia pensar que ali estava o perigo. Eu a vi correr até mim com o rosto todo feito de fúria e arrancar de minhas mãos o jornal, de uma maneira que revelava completamente sua apreensão. Ela era uma mulher sagaz; e um pouco de experiência logo demonstrou, para sua satisfação, que a educação e a escravidão eram incompatíveis entre si.

A partir desse momento, passei a ser observado com mais atenção. Se eu ficasse em uma sala separada por um tempo considerável, ela desconfiava que eu estivesse com um livro e eu era chamado imediatamente para prestar contas. Tudo isso, porém, foi feito tarde demais. O primeiro passo fora dado. A senhora, ao me ensinar o alfabeto, me dera um centímetro, e nenhuma precaução poderia me impedir de pegar o metro.

O plano que adotei, e com o qual tive mais sucesso, foi o de fazer amizade com todos os garotinhos brancos que conheci na rua. Converti todos os que pude em professores. Com seu gentil auxílio, obtido em momentos e lugares diferentes, finalmente consegui aprender a ler. Quando eu era mandado à rua para cumprir tarefas, sempre levava meu livro comigo e, fazendo a tarefa rapidamente, encontrava tempo para aprender uma lição antes de voltar.

Eu também costumava levar pão, que sempre havia em casa e do qual sempre podia usufruir, pois estava muito melhor nesse aspecto do que muitas das crianças brancas pobres de nossa vizinhança. Esse pão eu costumava dar aos menininhos de rua famintos, que, em troca, me davam o mais valioso pão do conhecimento. Sinto-me fortemente tentado a dar o nome de dois ou três desses garotinhos, como testemunho da gratidão e do carinho que tenho por eles; mas a prudência proíbe. Não que isso me prejudique, mas talvez os constranja, pois é quase uma ofensa imperdoável ensinar escravos a ler neste país cristão. Basta dizer dos queridos amiguinhos que moravam na Rua Philpot, muito perto do estaleiro de Durgin e Bailey.

Eu costumava discutir esse assunto da escravidão com eles. Às vezes, dizia a eles que gostaria de ser tão livre quanto seriam quando fossem homens. "Vocês serão livres assim que completarem 21 anos, mas eu sou escravo por toda a vida! Não tenho o direito de ser livre como vocês?" Essas palavras costumavam incomodá-los; eles expressavam para mim a mais viva solidariedade e me consolavam com a esperança de que algo ocorresse para que eu pudesse ser livre.

Eu tinha agora doze anos e o pensamento de ser escravo vitalício começou a pesar no meu coração. Por volta dessa época, peguei um livro intitulado *The Columbian Orator*[7]. Costumava ler esse livro em toda oportunidade que recebia. Entre muitas outras questões interessantes, encontrei nele um diálogo entre um senhor e seu escravo. O escravo foi representado como tendo fugido de seu senhor três vezes. O diálogo representava a conversa que ocorreu entre eles quando o escravo foi retomado pela terceira vez. Nesse diálogo, todo o argumento a favor da escravidão foi apresentado

7 *The Columbian Orator* é uma coleção de ensaios políticos, poemas e diálogos publicada originalmente em 1797 e muito utilizada nas escolas americanas para ensinar leitura e escrita na primeira metade do século XIX. [N. da T.]

J. W. HURN

pelo senhor, o qual foi descartado pelo escravo. Este teve que dizer coisas muito inteligentes e impressionantes em resposta ao seu senhor — coisas que tiveram o efeito desejado, embora inesperado, pois a conversa resultou na emancipação voluntária do escravo por parte do senhor.

No mesmo livro, conheci um dos poderosos discursos de Sheridan[8] a favor da emancipação católica. Esses eram os documentos que eu escolhia. Eu os lia repetidamente com interesse inabalável. Deram voz a pensamentos interessantes da minha própria alma, que frequentemente passavam pela minha mente e desapareciam por falta de expressão. A moral que ganhei com o diálogo foi o poder da verdade acima da consciência até mesmo de um senhor de escravos. O que recebi de Sheridan foi uma ousada denúncia da escravidão e uma poderosa defesa dos direitos humanos.

A leitura desses documentos me permitiu expressar meus pensamentos e conhecer os argumentos apresentados para sustentar a escravidão; mas, enquanto eles me aliviaram de uma dificuldade, trouxeram outra ainda mais dolorosa que aquela da qual estava livre. Quanto mais eu lia, mais era levado a abominar e detestar meus escravizadores. Não conseguia vê-los sob nenhuma outra luz senão a de um bando de ladrões bem-sucedidos que deixaram suas casas e foram para a África, nos roubaram de nossas casas e, em uma terra estranha, nos reduziram à escravidão. Eu os detestava por serem os mais maldosos e perversos dos homens.

Ao ler e contemplar o assunto, eis que aquele mesmo descontentamento que o sr. Hugh previra seguir meu aprendizado já havia chegado, atormentando e aguilhoando minha alma com angústia indescritível. Enquanto me contorcia, às vezes sentia que aprender a ler fora uma maldição e não uma bênção. Dera-me uma visão da

8 Richard Brinsley Sheridan (1751-1816), satirista irlandês, dramaturgo, poeta e autor de inúmeros discursos políticos. [N. da T.]

minha condição miserável, sem modo de remediá-la. Abrira meus olhos para o poço horrível, mas não havia degraus para a saída. Em momentos de agonia, invejei meus companheiros escravos por sua estupidez. Muitas vezes desejei ser um animal. Eu preferiria a condição do réptil mais cruel à minha. Qualquer coisa, não importava o que fosse, para me livrar do pensamento! Era esse pensamento eterno sobre minha condição que me atormentava. Não havia como me livrar dele. Era imposto a mim por todos os objetos que eu podia ver ou ouvir, animados ou inanimados. O trunfo da liberdade despertou minha alma para a vigília eterna. A liberdade aparecera agora para nunca mais desaparecer. Era ouvida em todos os sons e vista em tudo. Sempre estava presente para me atormentar com a sensação da minha condição miserável. Não via nada sem vê-la, não ouvia nada sem ouvi-la e não sentia nada sem senti-la. Aparecia em todas as estrelas, sorria com toda bonança, respirava com todo vento e movia-se com cada tempestade.

Muitas vezes me vi lamentando minha própria existência e desejando me matar; e, não fosse a esperança de ser livre, não tenho dúvida de que teria me matado ou feito algo pelo qual teria sido morto.

Enquanto estava nesse estado de espírito, ansiava ouvir alguém falar de escravidão. Eu era um ouvinte pronto. De vez em quando, ouvia algo sobre os abolicionistas. Demorou algum tempo até eu descobrir o que a palavra significava. Sempre foi usada em conversas que a tornavam uma palavra interessante para mim. Se um escravo fugia e conseguia se libertar, ou se um escravo matava seu senhor, incendiava um celeiro ou fazia algo muito errado na opinião de um senhor de escravos, isso era mencionado como fruto da abolição.

Ouvindo a palavra nessas conversas com muita frequência, comecei a aprender o que significava. O dicionário me deu pouca ou nenhuma ajuda. Nele, fiquei sabendo que era "o ato de abolir"; mas então eu não sabia o que deveria ser abolido. Aqui, estava perplexo. Não ousei perguntar a ninguém sobre o seu significado, pois estava convencido de que era algo sobre que eles queriam que eu soubesse muito pouco. Depois de uma espera paciente, recebi um de nossos jornais da cidade, contendo um relato do número de petições do Norte, orando pela abolição da escravatura no Distrito de Colúmbia e pelo fim do comércio de escravos entre os estados.

Desde então, entendi as palavras abolição e abolicionista, e sempre me aproximava quando essa palavra era dita, esperando ouvir algo de importância para mim e para os colegas escravos. A luz me invadiu aos poucos. Um dia, desci ao cais do sr. Waters, e, vendo dois irlandeses descarregando um pedaço de pedra, fui, sem que pedissem, e os ajudei. Quando terminamos, um deles veio até mim e me perguntou se eu era escravo. Eu disse a ele que sim. Ele perguntou: "Você será escravo por toda a vida?" Respondi que sim. O bom irlandês pareceu ficar profundamente afetado pela declaração. Ele disse ao outro que era uma pena um companheiro tão bom quanto eu ser escravo vitalício. Disse que era uma pena eu estar preso. Ambos me aconselharam a fugir para o Norte; que eu deveria encontrar amigos lá e que deveria ser livre.

Fingi não estar interessado no que eles disseram e os tratei como se não os entendesse, pois temia que fossem traiçoeiros. Sabe-se que os homens brancos incentivam os escravos a escapar e, então, para receber a recompensa, pegam-nos e os devolvem a seus senhores. Eu temia que esses homens aparentemente bons pudessem me usar assim; no entanto, lembrei-me dos conselhos deles e, desde então, resolvi fugir. Ansiava por um momento em que seria seguro escapar. Era jovem demais para pensar em fazê-lo imediatamente; além disso, queria aprender a escrever, pois poderia ter ocasião de escrever meu próprio passe. Eu me consolava com a esperança de um dia encontrar uma boa chance. Enquanto isso, aprendia a escrever.

A ideia de como eu poderia aprender a escrever me foi sugerida por estar no estaleiro de Durgin e Bailey, e ver frequentemente os carpinteiros do navio, depois de cortar e preparar um pedaço de madeira para uso, escreverem na madeira o nome da parte do navio a que se destina. Quando um pedaço de madeira era projetado para o lado esquerdo do navio, era marcado assim — "L.". Quando uma peça era do lado de estibordo, era marcada assim — "S.". Uma peça para o lado esquerdo frontal era marcada assim — "L. F.". Quando uma peça estava do lado do estibordo frontal, ela seria marcada assim — "S. F.". Para a régua de popa, assim — "L. A.". Para estibordo à popa, assim — "S. A." Logo aprendi o significado dessas letras e o que elas indicavam quando colocadas em um pedaço de madeira no estaleiro. Imediatamente comecei a copiá-las e, em pouco tempo, consegui nomear as quatro letras.

Depois disso, quando encontrava qualquer garoto que soubesse escrever, eu lhe dizia que sabia escrever tão bem quanto ele. O que ele dizia era: "Eu não acredito em você. Quer ver você tentar". Eu, então, fazia as letras que tive a sorte de aprender e pedia que ele tentasse fazer melhor. Dessa maneira, recebi muitas lições por escrito, o que é bem possível que nunca tivesse recebido de outro modo. Durante esse período, meu caderno era a cerca, a parede de tijolos e a calçada; minha caneta e tinta eram um pedaço de giz. Com isso, aprendi principalmente a escrever. Comecei e continuei copiando as letras itálicas no livro de ortografia de Webster, até que pudesse fazer todas sem olhar para o livro. A essa altura, meu pequeno senhor Thomas havia estudado, aprendera a escrever e havia escrito vários cadernos. Eles eram levados para casa e mostrados a alguns de nossos vizinhos próximos e depois deixados de lado. Minha senhora costumava ir à reunião de classe na capela da Rua Wilk toda segunda-feira à tarde e me deixava cuidando da casa. Quando me deixava assim, eu passava o tempo escrevendo nos espaços deixados no caderno sr. Thomas, copiando o que ele havia escrito. Continuei a fazer isso até que pudesse escrever com uma caligrafia muito semelhante à do sr. Thomas. Assim, depois de um longo e tedioso esforço por anos, finalmente consegui aprender a escrever.

CAPÍTULO 8

Pouco tempo depois de eu ir morar em Baltimore, o filho mais novo de meu antigo senhor, Richard, morreu; e, cerca de três anos e seis meses após sua morte, meu antigo senhor, o capitão Anthony, morreu, deixando apenas seu filho Andrew e sua filha Lucretia para dividir a propriedade. Ele morreu durante uma visita para ver sua filha em Hillsborough. Falecido assim tão inesperadamente, não deixou nenhum testamento quanto ao destino de sua propriedade. Portanto, era necessário fazer uma avaliação do imóvel, para que ele fosse dividido igualmente entre a sra. Lucretia e o sr. Andrew. Fui imediatamente enviado para ser avaliado com a outra propriedade.

Aqui, novamente, meus sentimentos surgiram em ódio à escravidão. Agora eu tinha uma nova concepção da minha condição degradada. Antes disso, eu me tornara, senão totalmente insensível ao meu destino, pelo menos em parte. Deixei Baltimore com um coração jovem carregado de tristeza e a alma cheia de apreensão. Peguei a passagem com o capitão Rowe, na escuna Wild Cat, e, depois de uma viagem de cerca de vinte e quatro horas, me vi perto do local do meu nascimento. Eu estava ausente havia quase cinco anos. No entanto, lembrei-me muito bem do lugar. Tinha apenas cinco anos quando saí para ir morar com meu antigo senhor na plantação do coronel Lloyd; agora, tinha entre dez e onze anos.

Todos nós fomos classificados juntos na avaliação. Homens e mulheres, velhos e jovens, casados e solteiros eram classificados com cavalos, ovelhas e suínos. Havia cavalos e homens, gado e mulheres, porcos e crianças, todos com a mesma classificação na escala do ser, e todos foram submetidos ao mesmo exame detalhado. A idade da cabeça prateada e a juventude alegre, donzelas e matronas, tiveram que passar pela mesma inspeção indelicada. Nesse momento, vi mais claramente do que nunca os efeitos brutalizantes da escravidão sobre escravos e senhores de escravos.

Após a avaliação, veio a divisão. Não tenho palavras para expressar a alta agitação e a profunda ansiedade que sentimos entre nós, pobres escravos, durante esse tempo. Nosso destino na vida agora estava para ser decidido. Não tivemos mais voz nessa decisão do que os animais entre os quais fomos classificados. Uma única palavra dos homens brancos foi suficiente — contra todos os nossos desejos, orações e pedidos — para separar para sempre os amigos e parentes mais queridos e os laços mais fortes conhecidos pelos seres humanos. Além da dor da separação, havia o pavor horrível de cair nas mãos do sr. Andrew. Ele era conhecido por todos nós como o infeliz mais cruel — um bêbado comum que, por sua administração ruim e imprudente e dissipação devassa, já havia desperdiçado grande parte da propriedade do pai. Todos sentimos que era melhor sermos vendidos de uma só vez aos comerciantes da Geórgia do que passar para as mãos dele, pois sabíamos que essa seria nossa condição inevitável — uma condição vista por todos nós com o maior horror e pavor.

Sofri mais ansiedade do que a maioria dos meus colegas escravos. Eu sabia o que era ser tratado com gentileza; eles não sabiam nada disso. Tinham visto pouco ou nada do mundo. Eram, de muitas maneiras, homens e mulheres tristes e familiarizados com a dor. Suas costas haviam sido familiarizadas com o chicote sangrento o bastante para que se tornassem insensíveis; a minha ainda era tenra, pois, enquanto em Baltimore, recebi poucas chicotadas, e poucos escravos podiam se orgulhar de um senhor e senhora mais gentis do que os meus. E o pensamento de passar de suas mãos às do sr. Andrew — um homem que, poucos dias antes, para me dar uma amostra de seu temperamento maldito, pegou meu irmãozinho pela garganta, jogou-o no chão e com o calcanhar da bota pisou em sua cabeça até o sangue jorrar do nariz e das orelhas; tudo bem calculado para me deixar ansioso quanto ao meu destino. Depois que ele cometeu esse ultraje selvagem contra meu irmão, voltou-se virou para mim e disse que era assim que pretendia me tratar um dia desses — significando, suponho, quando eu chegasse à sua posse.

Graças a uma gentil providência divina, caí na parte da sra. Lucretia e fui imediatamente enviado de volta a Baltimore, para viver novamente com a família do sr. Hugh. A alegria deles com a minha volta foi proporcional à tristeza da minha partida. Foi um dia feliz para mim. Eu tinha escapado de algo pior do que as mandíbulas de um leão. Fiquei fora de Baltimore, para avaliação e divisão, apenas cerca de um mês, e pareciam ter sido seis.

Logo após meu retorno a Baltimore, minha senhora, Lucretia, morreu, deixando o marido e uma criança, Amanda; e pouco tempo após sua morte, o sr. Andrew morreu. Agora, todas as propriedades do meu antigo senhor, inclusive os escravos, estavam nas mãos de estranhos — estranhos que não queriam acumulá-las. Nenhum escravo foi libertado. Todos permaneceram escravos, do mais novo ao mais velho.

Se alguma coisa na minha experiência, mais do que as outras, serviu para aprofundar minha convicção do caráter infernal da escravidão e para me encher de ódio indescritível pelos senhores de escravos, foi a ingratidão que tiveram para com a minha pobre e velha avó. Ela servira fielmente ao meu antigo senhor desde a

THE MAN IS NOT BOUGHT!

HE IS STILL IN THE

SLAVE PEN

IN THE COURT HOUSE!

THE KIDNAPPER AGREED

Both Publicly, and in writing, to SELL HIM

FOR $1200!

The sum was raised by eminent citizens of Boston, and offered him. He then claimed more. The BARGAIN WAS BROKEN. THE

KIDNAPPER BREAKS HIS AGREEMENT!

Though even the UNITED STATES COMMISSIONER advised him to keep it

BE ON YOUR GUARD AGAINST ALL LIES!

WATCH THE SLAVE PEN

Let Every Man attend the Trial!

"O homem não foi comprado! Ele ainda está na baia dos escravos no tribunal. O sequestrador concordou publicamente e por escrito em vendê-lo por US$ 1.200! A soma foi conseguida por cidadãos de Boston e oferecida a ele. Ele então exigiu mais. A barganha foi cancelada! O sequestrador violou seu acordo!"

juventude até a velhice. Tinha sido a fonte de toda a sua riqueza; povoara sua plantação com escravos e se tornara bisavó a seu serviço. Ela o tinha ninado quando bebê, o assistira na infância, o servira durante toda a vida e, na morte dele, limpou-lhe da testa gelada o suor frio da morte e lhe fechou os olhos para sempre. No entanto, permaneceu escrava — uma escrava vitalícia —, uma escrava nas mãos de estranhos. E, nas mãos deles, viu seus filhos, netos e bisnetos divididos, como um rebanho de ovelhas, sem serem gratificados com o pequeno privilégio de uma única palavra quanto ao seu próprio destino. E, para completar o clímax da ingratidão e da barbárie diabólica, minha avó, agora muito velha, tendo sobrevivido a meu antigo senhor e a todos os seus filhos, tendo visto o começo e o fim de todos eles, e seus atuais donos descobrindo que ela era de pouco valor, que seu corpo já era atormentado pelas dores da velhice e o desamparo completo rapidamente lhe roubava os membros outrora ativos, eles a levaram para a floresta, construíram uma pequena cabana, colocaram uma chaminé de barro e então a apresentaram ao privilégio de se sustentar ali em perfeita solidão; portanto, deixando-a para morrer! Se minha pobre e velha avó agora vive, vive sofrendo em total solidão; vive para lembrar e lamentar a perda de filhos, netos e bisnetos. Eles estão, na linguagem do poeta dos escravos, Whittier:

Desaparecidos, desaparecidos, vendidos e desaparecidos
No pântano de arroz solitário e úmido,
Onde o chicote incessantemente oscila,
Onde o inseto barulhento sibila,
Onde o demônio da febre espalha
Veneno com o orvalho que se empilha,
Onde brilham os raios do sol doente
Através do ar enevoado e quente:
Desaparecidos, desaparecidos, vendidos e desaparecidos
No pântano de arroz solitário e úmido,

Da Virgínia, colinas e águas,
Ai de mim, minhas filhas roubadas![9]

O lar está desolado. As crianças, as crianças inconscientes, que antes cantavam e dançavam em sua presença, se foram. Ela procura, na escuridão da idade, um gole de água. Em vez das vozes de seus filhos, ouve de dia os gemidos da pomba e de noite os gritos da hedionda coruja. Tudo é sombrio. O túmulo está à porta. E agora, quando sobrecarregada pelas dores e aflições da velhice, quando a cabeça se inclina em direção aos pés, quando o início e o fim da existência humana se encontram, e a infância indefesa e a dolorosa velhice se combinam — neste momento, neste mais necessário momento, o tempo para o exercício dessa ternura e afeição que as crianças só podem exercitar em relação a um pai ou mãe decadente —, minha pobre avó idosa, mãe dedicada de doze filhos, fica sozinha naquela cabana, diante de algumas brasas escuras. Ela se levanta, senta-se, cambaleia, cai, geme, morre — e não há nenhum filho ou neto presente para limpar da testa enrugada o suor frio da morte ou para cobrir de terra os restos caídos. Um Deus justo não veria uma coisa dessas?

Cerca de dois anos após a morte da sra. Lucretia, o sr. Thomas se casou com a segunda esposa. O nome dela era Rowena Hamilton. Era a filha mais velha do sr. William Hamilton. O senhor agora morava em St. Michaels. Pouco depois do casamento, ocorreu um mal-entendido entre ele e o sr. Hugh; e, como forma de punir seu irmão, ele me levou para morar com ele em St. Michaels. Aqui fui submetido a outra separação mais dolorosa. Porém, não foi tão severa quanto a que eu temia na divisão de propriedades, pois, durante esse intervalo, houve uma grande mudança no sr. Hugh e em sua

9 Retirado e adaptado do poema *The Farewell of a Virginia Slave Mother to her Daughters, Sold into Southern Bondage,* do autor americano John Greenleaf Whittier. [N. da T.]

outrora bondosa e afetuosa esposa. A influência do conhaque sobre ele, e da escravidão sobre ela, provocara uma mudança desastrosa no caráter de ambos, de modo que, no que lhes dizia respeito, pensei que tinha pouco a perder com a mudança. Mas não era a eles que eu estava apegado. Era àqueles garotinhos de Baltimore que eu sentia o apego mais forte. Eu havia recebido muitas boas lições deles, e ainda as estava recebendo, e a ideia de deixá-los era realmente dolorosa. Eu estava saindo, também, sem a esperança de poder voltar. O sr. Thomas havia dito que nunca me deixaria voltar novamente. A barreira entre ele e o irmão era intransponível.

Tive então que lamentar não haver feito pelo menos a tentativa de executar minha ideia de fugir, pois as chances de sucesso são dez vezes maiores na cidade do que no interior.

Naveguei de Baltimore para St. Michaels no saveiro Amanda, do capitão Edward Dodson. Na minha passagem, prestei atenção especial à direção que os barcos a vapor tomaram para ir para a Filadélfia. Descobri que, em vez de descer, ao chegar a North Point, subiam a baía, na direção nordeste. Considerei esse conhecimento da maior importância. Minha determinação de fugir foi novamente revivida. Resolvi esperar apenas pelo oferecimento de uma oportunidade favorável. Quando isso acontecesse, eu estava determinado a fugir.

CAPÍTULO 9

Agora cheguei a um período da minha vida em que posso dar datas. Saí de Baltimore e fui morar com o sr. Thomas Auld, em St. Michael, em março de 1832. Fazia mais de sete anos desde que eu morara com ele e com a família do meu antigo senhor, na plantação do coronel Lloyd. É claro que agora éramos quase estranhos um para o outro. Ele era para mim um novo senhor e eu para ele um novo escravo. Eu ignorava seu temperamento e disposição, e ele, os meus. Um tempo muito curto, no entanto, nos levou a conhecer completamente um ao outro. Eu me familiarizei com a esposa dele não menos do que com ele. Eram bem parecidos, sendo igualmente maus e cruéis.

Agora, pela primeira vez em um período de mais de sete anos, senti o doloroso tormento da fome — algo que nunca havia experimentado desde que saíra da plantação do coronel Lloyd. Foi bem difícil para mim naquela época, por não poder olhar para trás, para um período em que desfrutara da suficiência. Foi dez vezes mais difícil depois de morar com a família do sr. Hugh, onde eu sempre tinha o suficiente para comer e comia daquilo que era bom.

Eu disse que o sr. Thomas era um homem mau. Ele era assim. Não dar a um escravo o suficiente para comer é considerado o desenvolvimento mais agravado da maldade, mesmo entre os senhores de escravos. A regra é que não importa quão grosseira seja a comida, que seja o bastante. Essa é a teoria; e na parte de Maryland de onde vim, é a prática geral — embora haja muitas exceções. O sr. Thomas não nos dava comida suficiente, nem boa nem ruim. Éramos quatro escravos na cozinha — minha irmã Eliza, minha tia Priscilla, Henny e eu; e recebíamos menos da metade de um alqueire de farinha de milho por semana, e bem menos na forma de carne ou legumes. Não era o bastante. Fomos, portanto, reduzidos à necessidade miserável de viver à custa de nossos vizinhos. Fazíamos isso implorando e roubando, o que fosse útil em tempos de necessidade, um sendo considerado tão legítimo quanto o outro. Muitas vezes, nós, pobres criaturas, estávamos quase morrendo de fome, quando a comida abundante estava estragando na despensa e na casa de defumação, e nossa piedosa senhora estava ciente do fato; e mesmo assim a senhora e seu marido se ajoelhavam todas as manhãs e oravam para que Deus os abençoasse!

Por mais maus que sejam todos os senhores de escravos, raramente encontramos um destituído de todos os elementos de caráter relativos ao respeito. Meu senhor era desse tipo raro. Não sei de um único ato nobre realizado por ele. O traço principal em seu caráter era a maldade; e, se havia algum outro elemento em sua natureza, era subjugado por isso. Ele era malvado, e, como a maioria dos outros homens maus, não tinha a capacidade de esconder sua maldade. O capitão Auld não nascera senhor de escravos. Era um homem pobre, senhor apenas de uma embarcação da baía. Tomou posse de todos os seus escravos por casamento; e, dentre todos os homens, os senhores de escravos adotados são os piores.

Ele era cruel, mas covarde. Comandava sem firmeza. Na aplicação de suas regras, às vezes era rígido e às vezes relaxado. Às vezes, falava com seus escravos com a firmeza de Napoleão e a fúria de um demônio; outras vezes, poderia ser confundido com um viajante perdido que pedia informações. Ele não fazia nada de si mesmo. Poderia ter se passado por um leão, não fosse por suas orelhas[10]. Em todas as coisas nobres que ele tentava, sua própria maldade brilhava de forma notória. Seus ares, palavras e ações eram os ares, palavras e ações de senhores dos escravos nascidos e, sendo assumidos, eram bastante estranhos. Ele nem era um bom imitador. Tinha toda a disposição para enganar, mas queria o poder.

Não tendo recursos dentro de si, foi compelido a ser o imitador de muitos e, sendo tal, foi para sempre vítima da inconsistência; e, consequentemente, era objeto de desprezo, e mantido como tal até por seus escravos. O luxo de ter escravos à sua espera era algo novo e para o qual ele estava despreparado. Era um senhor de escravos sem a capacidade de mantê-los. Viu-se incapaz de administrar seus escravos pela força, medo ou fraude. Raramente o chamávamos de "senhor"; geralmente o chamávamos de "capitão Auld" e mal tínhamos disposição para dar-lhe o título. Não duvido que nossa conduta tivesse muito a ver com fazê-lo parecer desajeitado e, consequentemente, aflito. Nossa falta de reverência por ele deve tê-lo deixado perplexo. Ele queria que nós o chamássemos de senhor, mas não tinha a firmeza necessária para ordenar que o fizéssemos. Sua esposa costumava insistir em chamá-lo assim, mas sem sucesso em nos convencer.

Em agosto de 1832, meu senhor participou de uma reunião metodista realizada na região da baía, no condado de Talbot, e lá experimentou a religião. Eu me permiti uma fraca esperança de que sua conversão o levasse a emancipar seus escravos, e que, se ele não fizesse isso, o faria, de qualquer forma, tornar-se mais gentil e humano. Fiquei decepcionado em ambos os aspectos. Isso não o fez

10 Referência à fábula *O Asno em Pele de Leão*, de Esopo, em que um asno tenta se passar por leão ao cobrir-se com a pele do felino, mas é reconhecido pela raposa. As aparências só enganam até certo ponto. [N. da R.]

ser humano com seus escravos, nem emancipá-los. Se teve algum efeito sobre seu caráter, deixou-o mais cruel e odioso em todos os seus aspectos, pois acredito que ele se tornou um homem muito pior que antes após a conversão.

Antes da conversão, ele confiava em sua própria depravação para protegê-lo e sustentá-lo em sua barbárie selvagem; mas, depois da conversão, encontrou sanção religiosa e apoio à sua crueldade na posse de escravos. Ele declarou suas maiores presunções em relação à piedade. Sua casa era a casa de oração. Orava de manhã, de tarde e de noite. Logo distinguiu-se entre os irmãos e tornou-se um líder de classe persuasivo. Sua atividade em avivamentos espirituais era grande, e ele provou ser um instrumento nas mãos da igreja para converter muitas almas.

Sua casa era a casa dos pregadores. Eles costumavam ter um grande prazer em passar a noite lá; pois enquanto ele nos fazia passar fome, enchia-os de comida.

Tivemos três ou quatro pregadores lá de uma só vez. Os nomes daqueles que costumavam vir com mais frequência enquanto eu morava lá eram o sr. Storks, o sr. Ewery, o sr. Humphry e o sr. Hickey. Eu também vi o sr. George Cookman em nossa casa. Nós, escravos, amávamos o sr. Cookman. Acreditávamos que ele era um bom homem. Achávamos que ele fora essencial para conseguir que o sr. Samuel Harrison, um senhor de escravos muito rico, emancipasse seus escravos; e de alguma maneira tive a impressão de que ele estava trabalhando para efetuar a emancipação de todos os escravos. Quando ele estava em nossa casa, era certeza que seríamos chamados para orar. Quando os outros estavam lá, às vezes éramos chamados e outras não. O sr. Cookman nos notava mais do que qualquer um dos outros ministros. Ele não conseguia estar entre nós sem demonstrar-nos sua simpatia, e, por mais estúpidos que fôssemos, tínhamos a sagacidade de vê-la.

Enquanto eu morava com meu senhor em St. Michaels, havia um jovem branco, um sr. Wilson, que propôs manter uma escola sabatina

para a instrução de escravos que estivessem dispostos a aprender a ler o Novo Testamento. Nós nos encontramos três vezes, quando o sr. West e o sr. Fairbanks, os dois líderes de classe, com muitos outros, nos ameaçaram com paus e outras armas, nos expulsaram e nos proibiram de nos encontrar novamente. Assim terminou nossa pequena escola sabatina na piedosa cidade de St. Michaels.

Eu disse que meu senhor encontrou sanção religiosa para a sua crueldade. Como exemplo, vou declarar um dos muitos fatos que comprovam a acusação. Eu o vi amarrar uma jovem coxa e açoitá-la com um pesado chicote de couro sobre os ombros nus, fazendo o sangue vermelho e quente escorrer; e, para justificar o ato sangrento, ele citava esta passagem das Escrituras: "Aquele que conhece a vontade de seu senhor, e não a cumpre, será castigado com muitos açoites"[11].

O senhor mantinha essa jovem lacerada presa nessa situação horrível quatro ou cinco horas por vez. Eu sabia que ele a amarrava de manhã cedo e a açoitava antes do café da manhã; deixando-a, ia à loja, retornava no jantar e açoitava-a novamente, cortando-a nos lugares já machucados com seu chicote cruel. O segredo da crueldade do senhor em relação a Henny está no fato de ela ser quase indefesa. Quando criança, ela caíra no fogo e se queimara horrivelmente. Suas mãos eram tão queimadas que ela nunca conseguia usá-las. Podia fazer muito pouco, mas carregava cargas pesadas. Tinha que dominar a lista de despesas; e, como ele era um homem mau, ela era uma ofensa constante para ele. O homem parecia desejar eliminar a pobre garota da existência. Ele a entregou uma vez à sua irmã; mas, considerando-a um presente ruim, a irmã não estava disposta a mantê-la. Por fim, meu senhor *benevolente*, para usar suas próprias palavras, "a deixou solta para cuidar de si mesma". Ali estava um homem recém-convertido,

11 Lucas 12:47. [N. da T.]

segurando a mãe e, ao mesmo tempo, deixando a criança indefesa a passar fome e morrer! O sr. Thomas foi um dos muitos *piedosos* senhores de escravos que mantêm escravos com o propósito *muito caridoso* de cuidar deles.

Meu senhor e eu tivemos muitas diferenças. Ele me achava inadequado para o seu objetivo. Minha vida na cidade, ele disse, teve um efeito muito pernicioso sobre mim. Quase me arruinou para todos os bons propósitos e me adaptou para tudo que era ruim. Uma das minhas maiores falhas era a de deixar o cavalo dele fugir e descer até a fazenda do sogro, que ficava a cerca de oito quilômetros de St. Michaels. Eu tinha que ir atrás dele. Meu motivo para esse tipo de descuido, ou cuidado, era que eu sempre conseguia comer alguma coisa quando chegava lá. O sr. William Hamilton, sogro do meu senhor, sempre dava aos escravos o suficiente para comer. Nunca saí de lá com fome, por maior que fosse a necessidade do meu rápido retorno.

O sr. Thomas dizia longamente que não aguentava mais. Eu morava com ele havia nove meses, durante os quais ele me deu uma série de chicotadas severas, todas sem um bom motivo. Ele decidiu me mandar embora, como disse, para ser amansado; e, para esse fim, ele me deixou por um ano com um homem chamado Edward Covey.

Covey era um homem pobre, um inquilino agrícola. Alugava o lugar em que vivia, assim como os trabalhadores com os quais lavrava. Covey adquirira uma grande reputação por amansar jovens escravos, e essa reputação era de imenso valor para ele. Permitia-lhe cultivar sua fazenda com muito menos despesas do que poderia ter feito sem essa reputação. Alguns senhores de escravos achavam que não perdiam muito em permitir que Covey ficasse com seus escravos por um ano sem nenhuma outra compensação além do benefício do treinamento a que eram submetidos. Ele obtinha ajudantes jovens com grande facilidade, em consequência dessa reputação.

Além das boas qualidades naturais do sr. Covey, ele era professor de religião — uma alma piedosa —, membro e líder de classe na igreja metodista. Tudo isso acrescentou peso à sua reputação de "amansador de negros". Eu estava ciente de todos os fatos, tendo sido familiarizado com eles por um jovem que morava lá. No entanto, fiz a mudança com prazer, pois tinha certeza de comer o suficiente, o que é algo de grande importância para um homem faminto.

CAPÍTULO 10

Saí da casa do sr. Thomas e fui morar com o sr. Covey em 1º de janeiro de 1833. Agora eu era, pela primeira vez na minha vida, um ajudante no campo. No meu novo emprego, me vi ainda mais desajeitado do que um garoto do campo estaria em uma cidade grande. Eu estava em minha nova casa havia pouco mais de uma semana quando o sr. Covey me deu uma punição com o chicote muito severa, cortando minhas costas, fazendo o sangue correr e marcando sulcos na minha carne do tamanho de meu dedo mindinho.

Os detalhes desse caso são os seguintes: o sr. Covey me enviou, bem no início da manhã de um dos nossos dias mais frios do mês de janeiro, para a floresta, para buscar um monte de lenha. Ele me deu uma junta de bois inteira e me disse qual boi era adestrado e qual boi não era, e então, amarrou a ponta de uma grande corda ao redor dos chifres do boi que era adestrado, e me deu a outra extremidade, e me disse que, se os bois começassem a correr, eu deveria segurar a corda. Eu nunca tinha conduzido bois antes e, claro, fiquei muito desajeitado. No entanto, consegui chegar à beira da floresta com pouca dificuldade; mas tinha coberto uma curta distância na mata quando os bois se assustaram e começaram a correr a toda a velocidade, jogando a carroça contra as árvores e sobre os tocos, da maneira mais assustadora. Eu esperava a cada momento que minha cabeça fosse arremessada contra as árvores. Depois de correrem assim por uma distância considerável, os bois finalmente tombaram a carroça, lançando-a com grande força contra uma árvore e atirando-se em um matagal denso.

Como escapei da morte, não sei. Lá estava eu, completamente sozinho, em uma floresta fechada, em um lugar novo para mim. Minha carroça estava virada e quebrada, meus bois estavam enredados entre as árvores, e não havia ninguém para me ajudar. Após um longo período de esforço, consegui consertar a carroça, desembaraçar os bois e novamente engatá-los à carroça. Agora eu seguia com eles para o lugar onde, no dia anterior, havia cortado lenha, e carreguei a carroça com bastante peso, pensando que dessa maneira domaria os bois. Então segui o caminho de casa. Já havia consumido metade do dia. Saí da floresta em segurança e agora me sentia fora de perigo. Parei os bois para abrir o portão que levava à floresta; e, assim que o fiz, antes que pudesse segurar a corda, os bois novamente começaram a correr, atravessaram o portão, enfiando-o entre a roda e o corpo da carroça, partindo-o em pedaços e chegando a poucos centímetros de me esmagar contra o pilar do portão. Assim, duas vezes, em um curto dia, escapei da morte por pouco.

Quando voltei, contei ao sr. Covey o que havia acontecido e como acontecera. Ele ordenou que eu voltasse imediatamente para a floresta. Fiz isso, e ele me seguiu. No momento em que entrei na mata, ele veio e me disse para parar a carroça, e que me ensinaria a desperdiçar meu tempo e quebrar portões. Ele foi até uma grande árvore e, com o machado, cortou três galhos grandes e, depois de apará-los com o canivete, ordenou que eu tirasse a roupa. Não lhe respondi, mas fiquei com minhas roupas. Ele repetiu a ordem. Ainda assim não lhe respondi, nem me movi para me despir. Depois disso, ele correu para mim com a ferocidade de um tigre, arrancou minhas roupas e me açoitou até gastar os galhos afiados, cortando-me com tanta ferocidade que deixou as marcas visíveis por muito tempo depois. Essa punição foi a primeira de muitas, e por ofensas semelhantes.

Morei com o sr. Covey durante um ano. Nos primeiros seis meses daquele ano, mal se passou uma semana sem que ele me açoitasse. Eu raramente estava livre de dores nas costas. Minha falta de jeito era quase sempre sua desculpa para me açoitar. Éramos forçados até o limite da resistência. Muito antes que o dia raiasse, estávamos acordados, tínhamos alimentado os cavalos e, às primeiras luzes do dia, estávamos no campo com nossas enxadas e equipes de lavoura. O sr. Covey nos dava o suficiente para comer, mas pouco tempo para fazê-lo. Com frequência, tínhamos menos de cinco minutos para fazer nossas refeições. Muitas vezes estávamos no campo desde o primeiro raio de sol do dia até o último raio persistente nos deixar; e na hora da juntar a forragem, a meia-noite costumava nos pegar ainda afiando as lâminas usadas no campo.

Covey ficava lá fora conosco. Ele passava a maior parte de suas tardes na cama, e era assim que conseguia suportar. À noite, estava desperto e pronto para nos estimular com suas palavras, exemplo e frequentemente com o chicote. Covey era um dos poucos senhores de escravos que conseguia e fazia trabalhos braçais. Era um homem trabalhador. Sabia por experiência própria o que um homem ou um menino conseguia fazer. Não havia como enganá-lo. O trabalho continuava tanto na ausência quanto na presença dele; e ele tinha a capacidade de nos fazer sentir que sempre estava presente conosco. Isso ele fazia nos surpreendendo. Raramente se aproximava do local onde estávamos trabalhando abertamente, se pudesse fazê-lo secretamente. Sempre teve como objetivo nos pegar de surpresa. Tal era a sua astúcia, que costumávamos chamá-lo, entre nós, de "a cobra". Quando estávamos trabalhando no milharal, ele às vezes rastejava apoiado nas mãos e joelhos para evitar ser detectado, e de repente se levantava quase no meio de nós e gritava: "Ha, ha! Venham, venham! Corram!".

"Homens de cor distintos"

Sendo esse o seu modo de ataque, nunca era seguro parar um único minuto. Ele aparecia tal qual um ladrão durante a noite. Para nós, estava sempre por perto. Estava debaixo de toda árvore, atrás de todo tronco, em todo arbusto e em toda abertura na plantação. Às vezes, ele montava o cavalo, como se estivesse indo a St. Michaels, a uma distância de onze quilômetros, e meia hora depois era possível vê-lo parado no canto da cerca de madeira, observando todos os movimentos dos escravos. Para isso, ele deixava o cavalo amarrado na floresta. Às vezes, se aproximava de nós e nos dava ordens como se estivesse a ponto de começar uma longa jornada, virando as costas para nós como se estivesse indo para casa se arrumar; e, antes que chegasse à metade do caminho, ele se abaixava e se arrastava para um canto da cerca, ou para trás de uma árvore, e dali nos observava até o pôr do sol.

O forte do sr. Covey consistia em seu poder de enganar. Sua vida foi dedicada ao planejamento e perpetração dos enganos mais grosseiros. Tudo o que tinha na forma de aprendizado ou religião, ele transformava conforme sua disposição de enganar. Parecia se considerar capaz de enganar o Todo-Poderoso. Fazia uma breve oração pela manhã e uma longa oração à noite; e, por mais estranho que seja, poucos homens às vezes pareciam mais devotados do que ele. Os exercícios de devoção familiar eram sempre iniciados com o canto; e, como ele próprio era um cantor muito ruim, o dever de entoar o hino geralmente era meu. Ele lia o hino e acenava para eu começar. Eu às vezes fazia isso; em outras, não. Minha desobediência quase sempre produzia muita confusão. Para se mostrar independente de mim, ele começava a cantar o seu hino da maneira mais desafinada. Nesse estado de espírito, orava com mais afinco.

Pobre homem! Tais eram sua disposição e seu sucesso em enganar que acredito realmente que ele às vezes se iludia na crença solene de que era um adorador sincero do Deus Altíssimo; e isso, também, pode-se dizer que foi o motivo de ele obrigar sua escrava a cometer o pecado do adultério.

Os fatos no caso são os seguintes: o sr. Covey era um homem pobre que estava apenas começando na vida. Só conseguiu comprar uma escrava; e, por mais chocante que seja, ele a comprou, como disse, para ser uma *reprodutora*. Essa mulher era Caroline. Covey comprou-a do sr. Thomas Lowe, a cerca de dez quilômetros de St. Michaels. Ela era uma mulher grande e saudável, com cerca de vinte anos. Já havia dado à luz um filho, o que provou ser exatamente o que ele queria. Depois de comprá-la, ele contratou um homem casado do sr. Samuel Harrison para morar com eles durante um ano, e o mandava ficar com ela todas as noites! O resultado foi que, no final do ano, a infeliz mulher deu à luz gêmeos. Com esse resultado, o sr. Covey ficou muito satisfeito, tanto com o homem quanto com a pobre mulher. Tal foi a alegria dele, e a da esposa, que nada que pudessem fazer por Caroline durante o confinamento era bom demais ou difícil demais para ser feito. As crianças foram consideradas um excelente complemento à sua riqueza.

Se em um momento da minha vida mais do que em outro fui obrigado a beber os mais amargos resíduos da escravidão, esse período foi durante os primeiros seis meses da minha estadia com o sr. Covey. Trabalhávamos em todos os climas. Nunca estava quente ou frio demais; nunca chovia, ventava, caía granizo ou neve o bastante para nos impedir de trabalharmos no campo. Trabalhar, trabalhar e trabalhar era a ordem de dia e de noite. Os dias mais longos eram curtos demais para ele e as noites mais curtas longas demais para ele. Eu era um pouco incontrolável quando cheguei lá, mas alguns meses dessa disciplina me domaram. O sr. Covey conseguiu me amansar. Eu estava domado em corpo, alma e espírito. Minha elasticidade natural foi esmagada, meu intelecto definhou, a disposição de ler se foi, a faísca alegre que pairava sobre meus olhos morreu; a noite escura da escravidão se abateu sobre mim; e eis que um homem foi transformado em um animal!

O domingo era meu único dia de lazer. Passava esse tempo em uma espécie de estupor, entre o sono e a vigília, debaixo de alguma árvore grande. Às vezes eu me levantava, um lampejo de liberdade energética disparava através da minha alma, acompanhado por um leve raio de esperança, que piscava por um momento e depois desaparecia. Eu afundava novamente, lamentando minha condição miserável. Às vezes, ficava tentado a tirar a minha vida e a de Covey, mas era impedido por uma combinação de esperança e medo. Meus sofrimentos nessa plantação agora parecem mais um sonho do que uma realidade severa.

Nossa casa ficava a alguma distância da Baía de Chesapeake, cujo amplo seio sempre estava branco com velas de todos os cantos do globo habitável. Aquelas belas embarcações, vestidas de branco puro, tão agradáveis aos olhos dos homens livres, eram para mim fantasmas encobertos que me aterrorizavam e atormentavam com pensamentos sobre a minha condição miserável. Muitas vezes, na profunda quietude de um sábado de verão, fiquei sozinho nas margens elevadas daquela baía nobre e localizei, com o coração triste e os olhos lacrimejantes, o número incontável de velas saindo para o poderoso oceano. Essa visão sempre me afetou intensamente. Meus pensamentos me obrigavam a me expressar; e ali, sem audiência, a não ser o Todo-Poderoso, eu derramava as queixas da minha alma, à minha maneira rude, com um discurso à multidão de navios em movimento:

— Vocês estão soltos de suas amarras e são livres; estou preso às minhas correntes e sou escravo! Vocês se movem alegremente diante do vendaval suave, e eu me movo tristemente diante do chicote sangrento! Vocês são os anjos velozes da liberdade, que voam ao redor do mundo; eu estou confinado em algemas de ferro! Ah, se eu fosse livre! Ah, se fosse um de seus nobres deques e estivesse debaixo de sua proteção! Ai, se debaixo de nós as águas turvas rolassem. Vão em frente! Ah, se eu também pudesse ir! Se pudesse nadar! Se pudesse voar! Ó, por que nasci homem, de quem fazem um bruto? O navio feliz se foi, ele se esconde na penumbra. Sou deixado no inferno mais quente da escravidão sem fim. Ah, Deus, me salve! Deus, me liberte! Deixe-me ser livre! Existe algum Deus? Por que sou escravo? Fugirei. Não vou suportar. Não importa se serei pego ou se vou conseguir, tentarei. Preferiria morrer de febre. Tenho apenas uma vida a perder. Prefiro morrer correndo do que morrer parado. Pense nisto: cento e sessenta quilômetros para o Norte e estou livre! Tentar? Sim! Deus me ajudando, eu vou. Não é possível que viva e morra como escravo. Vou pela água. Esta mesma baía ainda me levará à liberdade. Os barcos a vapor seguiram na direção nordeste a partir de North Point. Vou fazer o mesmo; e, quando chegar à beira da baía, viro a canoa à deriva e atravesso Delaware até a Pensilvânia. Quando chegar lá, não serei obrigado a obter um passe. Posso viajar sem ser incomodado. Deixe apenas a primeira oportunidade aparecer e, aconteça o que acontecer, eu irei. Enquanto isso, tentarei me manter dócil. Não sou o único escravo do mundo. Por que deveria me preocupar? Posso suportar tanto quanto qualquer um deles. Além disso, sou apenas um menino, e todos os meninos estão ligados a alguém. Pode ser que minha tristeza na escravidão só aumente minha felicidade quando me libertar. Está chegando um dia melhor.

Assim eu costumava pensar e assim costumava falar comigo mesmo; instigado quase à loucura em um momento, e no outro reconciliando-me com meu destino miserável.

Já confessei que minha condição foi muito pior nos primeiros seis meses da minha estadia no sr. Covey do que nos últimos seis. As circunstâncias que levaram à mudança no comportamento do sr. Covey em relação a mim formam um período em minha humilde história. Você viu como um homem foi feito escravo, agora verá como um escravo foi feito homem. Em um dos dias mais quentes do mês de agosto de 1833, Bill Smith, William Hughes, um escravo chamado Eli e eu estávamos ocupados em peneirar o trigo. Hughes, diante da peneira, estava limpando o trigo já peneirado. Eli estava peneirando, Smith alimentava a peneira e eu levava o trigo para eles. O trabalho era simples, exigindo força e não intelecto; no entanto, para alguém totalmente desacostumado a esse trabalho, era muito difícil. Por volta das três horas daquele dia, eu sucumbi: minha força me falhou, fui tomado por uma violenta dor de cabeça, acompanhada de extrema tontura; tremia por todo o corpo. Ao descobrir o que estava por vir, eu me irritei, sentindo que não seria o suficiente para me fazer parar de trabalhar. Fiquei o tempo que pude enquanto aguentava cambalear até o funil com os grãos. Quando não aguentei mais, caí e senti como se estivesse debaixo de um imenso peso. A peneira, é claro, parou; cada um tinha seu próprio trabalho a fazer e ninguém poderia fazer o trabalho do outro e fazer o seu próprio ao mesmo tempo.

O sr. Covey estava em casa, a cerca de cem metros do pátio onde estávamos trabalhando. Ao ouvir a peneira parar, ele saiu imediatamente e chegou ao local onde estávamos. Perguntou qual era o problema. Bill respondeu que eu estava doente, e não havia ninguém para trazer trigo à peneira. A essa altura, eu já havia me arrastado para o lado do poste e da cerca de estacas por onde o quintal era fechado, na esperança de encontrar alívio ao sair do sol. Ele então perguntou onde eu estava e foi informado por alguém. Veio ao local e, depois de me olhar por um tempo, perguntou-me qual era o problema. Respondi da melhor maneira que pude, pois mal tinha forças para falar. Ele então me deu um chute feroz na costela e me disse para levantar. Tentei, mas acabei caindo. Ele me deu outro chute e novamente me mandou levantar. Tentei de novo e consegui me levantar; mas, inclinando-me para pegar o tubo com o qual eu alimentava a peneira, novamente cambaleei e caí. Enquanto estava nessa situação, o sr. Covey pegou a ripa de madeira com a qual Hughes batia a medida de meio alqueire e com ela me deu um forte golpe na cabeça, fazendo uma grande ferida. O sangue correu livremente; e com isso, novamente, ele me mandou levantar. Não fiz nenhum esforço para obedecer, tendo agora decidido deixá-lo fazer o pior.

Pouco tempo depois de receber esse golpe, minha cabeça melhorou. O sr. Covey agora tinha me deixado à mercê do meu destino. Nesse momento, resolvi, pela primeira vez, ir ao meu senhor, registrar uma reclamação e pedir sua proteção. Para fazer isso, eu deveria naquela tarde caminhar onze quilômetros; e isso, naquelas circunstâncias, era realmente uma tarefa difícil. Eu estava extremamente fraco, tanto pelos chutes e golpes que recebi quanto pelo severo ataque de mal-estar a que fui submetido. No entanto, ponderei sobre a minha chance, enquanto Covey estava olhando em uma direção oposta, e parti para St. Michaels.

Consegui percorrer uma distância considerável no caminho para a floresta quando Covey me descobriu e me mandou voltar, fazendo ameaças sobre o que faria se eu não fosse. Desconsiderei seus gritos e ameaças, e fui para a floresta o mais rápido que meu estado débil permitia. Caminhei por ali, pensando que poderia ser visto por ele se continuasse na estrada; mantive-me longe o suficiente dela para evitar a detecção e perto o suficiente para evitar me perder. Eu não tinha ido longe antes que minhas poucas forças novamente me falhassem. Não poderia ir mais longe. Caí e fiquei deitado por um tempo considerável. O sangue ainda escorria da ferida na minha cabeça. Por um tempo, pensei que deveria sangrar até a morte, e penso agora que era provável que tivesse morrido, mas o sangue emaranhou meus cabelos a ponto de parar o sangramento. Depois de ficar ali por cerca de três quartos de hora, eu me levantei de novo e segui meu caminho, através de pântanos e espinhos, descalço e de cabeça descoberta, rasgando os pés praticamente em todos os passos.

Depois de uma viagem de cerca de onze quilômetros que levou cinco horas para ser feita, cheguei à loja do meu senhor. Então me apresentei de forma a afetar qualquer um, exceto talvez um coração de ferro. Do alto da cabeça aos pés, eu estava coberto de sangue. Meu cabelo estava todo coberto de poeira e sangue; minha camisa estava dura de sangue. Suponho que parecia um homem que mal escapara de um covil de animais selvagens. Nesse estado, apareci diante do meu senhor, pedindo humildemente que interpusesse sua autoridade para minha proteção. Expliquei a ele todas as circunstâncias o melhor que pude, e pareci, enquanto falava, às vezes afetá-lo.

Ele caminhava de um lado a outro e tentava justificar Covey dizendo que talvez eu merecesse. Perguntou o que eu queria. Pedi que me deixasse ter um novo lar; que, com a certeza de retornar ao sr. Covey, eu estaria morto em breve, que Covey certamente me mataria. O sr. Thomas ridicularizou a ideia de que havia perigo de o sr. Covey me matar e disse que o conhecia, que ele era um homem bom e que não conseguia pensar em me tirar dele; que, se o fizesse, perderia o ordenado do ano inteiro; que eu pertencia ao sr. Covey por um ano e que deveria voltar para ele, acontecesse o que acontecesse; e que não deveria incomodá-lo com mais histórias, ou que ele próprio *daria um jeito em mim.*

Depois de me ameaçar assim, ele me deu uma dose muito grande de sais, dizendo que eu poderia permanecer em St. Michaels naquela noite (já que era bem tarde), mas que deveria voltar para o sr. Covey de manhã cedo; e que, se não o fizesse, ele me pegaria, o que significava que me açoitaria. Fiquei por lá durante a noite e, de acordo com as ordens dele, fui para a casa do sr. Covey de manhã, (sábado de manhã), cansado de corpo e quebrado de espírito. Não jantei naquela noite nem tomei café da manhã. Cheguei em torno das nove horas; e, enquanto eu estava atravessando a cerca que separava os campos da sra. Kemp dos nossos, Covey veio correndo com seu chicote de couro, para me açoitar novamente. Antes que pudesse me alcançar, consegui chegar ao milharal; e, como o milho estava muito alto, me proporcionou os meios de me esconder. Ele parecia muito zangado e me procurou por um longo tempo. Meu comportamento era totalmente inaceitável. Ele finalmente desistiu da perseguição, pensando, suponho, que eu precisaria voltar para casa para comer alguma coisa; ele não se daria mais ao trabalho de me procurar. Passei a maior parte daquele dia na floresta, tendo duas alternativas: ir para casa e ser açoitado até a morte ou permanecer na mata e morrer de fome.

Naquela noite, encontrei Sandy Jenkins, um escravo que eu conhecia. Sandy tinha uma esposa livre que morava a seis quilômetros do sr. Covey; e, sendo sábado, ele estava indo vê-la. Contei minha situação, e ele gentilmente me convidou para ir para casa com ele. Aceitei, conversei com ele sobre tudo o que se passara e recebi seus conselhos sobre qual o melhor caminho a seguir.

Encontrei em Sandy um conselheiro. Ele me disse, com grande solenidade, que eu deveria voltar para o sr. Covey; mas que, antes de partir, deveria ir com ele para outra parte da floresta, onde havia uma certa *raiz* que, se eu levasse um pouco dela comigo, *carregando-a sempre do lado direito*, tornaria impossível que o sr. Covey, ou qualquer outro homem branco, me açoitasse. Disse que a carregava havia anos, e desde então nunca recebera um golpe, e nunca esperava um enquanto a carregava. A princípio, rejeitei a ideia de que o simples porte de uma raiz no bolso teria o efeito que ele afirmara e não estava disposto a aceitá-la; mas Sandy me impressionou com sua seriedade, dizendo-me que, se não fizesse bem, também não faria mal. Para agradá-lo, finalmente peguei a raiz e, de acordo com as instruções dele, carreguei-a do meu lado direito.

Era domingo de manhã. Imediatamente fui para casa; e, quando entrei pelo portão do quintal, o sr. Covey veio na minha direção. Falou comigo muito gentilmente, pediu que eu levasse os porcos a um terreno próximo e foi em direção à igreja. Agora, essa conduta singular do sr. Covey realmente me fez começar a pensar que havia algo na raiz que Sandy me dera; e, se tivesse sido em qualquer outro dia que não fosse domingo, eu não poderia ter atribuído a conduta a nenhuma outra causa senão a influência dessa raiz; e, como estava, sentia-me um tanto inclinado a pensar que a raiz era algo mais do que eu a princípio pensara.

Tudo correu bem até segunda-feira de manhã. Naquela manhã, o valor da raiz foi totalmente testado. Muito antes do raiar do dia, fui chamado para limpar, escovar e alimentar os cavalos. Obedeci e fiquei feliz em fazê-lo. Porém, enquanto estava ocupado, tirando algumas pás do desvão do estábulo, o sr. Covey entrou com uma corda comprida; e, quando eu estava quase descendo, ele segurou minhas pernas e começou a tentar me amarrar. Assim que descobri o que ele estava fazendo, dei um repentino salto e, ao fazê-lo, acabei caindo no chão do estábulo.

O sr. Covey parecia agora pensar que tinha me dominado e poderia fazer o que quisesse; mas nesse momento — de onde veio esse ânimo, não sei — resolvi lutar; e, combinando minha ação à resolução, segurei o sr. Covey com força pelo pescoço e levantei-me. Ele me segurou, e eu a ele. Minha resistência foi tão inesperada que Covey pareceu surpreso. Ele tremia como uma folha. Isso me deu segurança, e eu o segurei, fazendo o sangue correr onde o toquei com as pontas dos dedos. Covey logo pediu ajuda a Hughes. Este veio e, enquanto Covey me segurava, tentou amarrar minha mão direita. Enquanto ele fazia isso, vi minha chance e dei-lhe um chute forte embaixo das costelas. Esse chute afetou bastante Hughes, de modo que ele me deixou nas mãos do sr. Covey.

O chute teve o efeito de não apenas enfraquecer Hughes, mas também Covey. Quando ele viu Hughes curvando-se de dor, sua coragem cedeu. Ele me perguntou se eu pretendia persistir na minha resistência. Respondi que sim, acontecesse o que acontecesse; que ele me usara como um animal durante seis meses e que eu estava determinado a não ser mais usado. Com isso, ele se esforçou para me arrastar para um tronco que estava do lado de fora da porta do estábulo. Pretendia acabar comigo. Mas quando ele estava se inclinando para pegar o chicote, agarrei-o com as duas mãos pelo colarinho e o joguei de uma vez no chão.

A essa altura, Bill chegou. Covey pediu ajuda. Bill queria saber o que poderia fazer. Covey disse: "Segure-o, segure-o!". Bill disse que fora contratado para trabalhar e não para me açoitar; então, deixou Covey e a mim travando nossa própria batalha. Ficamos nisso por quase duas horas. Covey enfim me soltou, respirando com dificuldade, dizendo que se eu não tivesse resistido ele não teria

EIGHT HUNDRED THOUSAND SLAVES
SET FREE!!

The Anniversary of EMANCIPATION in the British West Indies, will be celebrated in the

CITY OF WORCESTER,
On FRIDAY, August 3d,

By a general MASS MEETING of the Friends of Freedom. If the weather be pleasant, the Meeting will be held in the

HOSPITAL GROVE

Commencing at 10 1-2 O'clock, A. M.

If the weather be unfavorable, the meeting will be in the spacious

City Hall,

Among the Speakers, who have engaged to be present, are

Wendell Phillips, Wm. Lloyd Garrison, Theodore Parker, Ralph Waldo Emerson, Adin Ballou,

Charles C. Burleigh, and Robert Morris.

LET WORCESTER COUNTY

give a good account of herself that day. Let the HEART of the Commonwealth be moved from its depths. Let a mighty voice go up, in the name of GOD, demanding that His PEOPLE SHALL GO FREE.

COME ONE AND ALL,

and Keep the Fast which GOD HAS CHOSEN---even "to undo the heavy burdens, and let the ☞ OPPRESSED GO FREE."☜

"Oitocentos mil escravos libertados! Aniversário da Emancipação na cidade de Worcester das Índias Ocidentais Britânicas."

me açoitado tanto. A verdade era que ele não tinha me açoitado. Considerei que ele estava recebendo o pior resultado do embate, porque não tirou sangue de mim, mas eu tirei dele. Nos seis meses seguintes que passei com o sr. Covey, ele nunca pôs um dedo em mim com aquela raiva. Ocasionalmente dizia que não queria me pegar de novo. "Não", eu pensava, "você não vai fazer isso, pois vai sair pior do que antes."

Essa batalha com o sr. Covey foi o ponto de virada na minha vida como escravo. Reacendeu as poucas brasas expiradas da liberdade e reviveu dentro de mim um senso de minha própria masculinidade. Relembrou a autoconfiança que havia perecido e me inspirou novamente a determinação de ser livre. A gratificação proporcionada pelo triunfo foi uma compensação total pelo que mais pudesse acontecer, até a própria morte. Os únicos que podem entender a profunda satisfação que experimentei são aqueles que repeliram à força o braço sangrento da escravidão. Eu me senti como nunca antes. Foi uma ressurreição gloriosa, do túmulo da escravidão para o céu da liberdade. Meu espírito havia muito esmagado se levantou, a covardia se foi, a rebeldia ousada tomou seu lugar; e então resolvi que, por mais que continuasse sendo escravo no corpo, nunca mais seria escravo na mente. Não hesitei em informar sobre mim que o homem branco que esperava ter sucesso em me açoitar também deveria ter sucesso em me matar.

Desde então, nunca mais passei pelo que se poderia chamar de açoitamento, embora permanecesse escravo por quatro anos depois. Tive várias lutas, mas nunca fui açoitado.

Por um longo tempo, surpreendi-me com o fato de o sr. Covey não ter mandado a polícia me levar imediatamente ao tronco, e ali ser açoitado pelo crime de levantar a mão contra um homem branco em legítima defesa. E a única explicação em que posso pensar agora não me satisfaz inteiramente, mas mesmo assim eu a darei: Covey desfrutava da grande reputação de ser um feitor e amansador de negros de primeira linha. Isso era de considerável importância para ele. Essa reputação estava em jogo; e se ele tivesse me mandado — um garoto com cerca de dezesseis anos — ao tronco de açoitamento público, sua reputação teria sido arruinada; então, para salvar a reputação, ele me deixou impune.

Meu período de serviço efetivo ao sr. Edward Covey terminou no dia de Natal de 1833. Os dias entre o Natal e o ano-novo são feriados, e, portanto, não éramos obrigados a realizar nenhum trabalho, além de alimentar e cuidar do gado. Assim, consideramos o dia como nosso, pela graça de nossos senhores, e o usamos e dele abusamos como quisemos. Aqueles de nós que tinham famílias a distância geralmente eram autorizados a passar os seis dias inteiros com elas. Esse tempo, no entanto, era gasto de várias maneiras. Os sensatos, sóbrios, pensadores e diligentes se empenhavam em fazer vassouras de milho, tapetes, rédeas e cestas; outra parte de nós passava o tempo caçando gambás, lebres e guaxinins. Mas, de longe, a maior parte envolvia-se em esportes e divertimentos, como jogar bola, lutar, correr, brincar, dançar e beber uísque; e este último modo de passar o tempo era de longe o mais agradável aos sentimentos de nossos senhores. Um escravo que trabalhava durante as férias era considerado pelos nossos senhores como pouco merecedor delas, visto como alguém que rejeitara o favor de seu senhor. Era considerado uma desgraça não ficar bêbado no Natal; e o escravo que não havia fornecido a si mesmo os meios necessários, durante o ano, para obter uísque suficiente para durar no Natal, era tido como preguiçoso.

Pelo que sei do efeito desses feriados sobre o escravo, acredito que esteja entre os meios mais eficazes nas mãos dos senhores de escravos para conter o espírito de revolta. Se eles abandonassem imediatamente essa prática, não tenho a menor dúvida de que isso levaria a uma revolta imediata. Esses feriados servem como condutores, ou válvulas de segurança, para regular o espírito rebelde da humanidade escravizada. Mas, sem essa folga, o escravo seria forçado ao desespero mais selvagem; e ai do senhor de escravos no dia em que ele se arriscar a remover ou dificultar a operação desses condutores! Eu o aviso que, nesse caso, um espírito surgirá no meio deles, a ser mais temido do que o terremoto mais terrível.

Os feriados são parte integrante da fraude grosseira, do mal e da desumanidade da escravidão. São declaradamente um costume estabelecido pela benevolência dos senhores de escravos; mas comprometo-me a dizer que é o resultado do egoísmo e uma das maiores fraudes cometidas contra o escravo oprimido. Eles não dão aos escravos esse tempo porque não gostariam de vê-los trabalhando num momento de folga, mas porque sabem que não seria seguro privá-los disso. A prova é o fato de que os donos de escravos gostam de vê-los gastando esses dias apenas com divertimentos. O objetivo deles parece ser repugnar os escravos em relação à liberdade, mergulhando-os nas mais baixas profundezas da dispersão. Por exemplo, os senhores de escravos não apenas gostam de ver o escravo beber por vontade própria, mas adotam vários planos para deixá-lo bêbado. Um dos planos é fazer apostas em seus escravos sobre quem consegue beber mais uísque sem ficar bêbado; e assim conseguem que multidões inteiras bebam em excesso.

Dessa forma, quando o escravo pede liberdade, o astuto senhor de escravos, conhecendo sua ignorância, o engana com uma dose de distração viciosa, habilmente rotulada com o nome de liberdade. A maioria de nós costumava beber, e o resultado foi exatamente o que se poderia supor; muitos de nós fomos levados a pensar que havia pouca vantagem em escolher entre liberdade e escravidão. Sentimos, e muito apropriadamente, que éramos quase tão escravos do homem quanto do rum. Assim, quando o feriado terminou, cambaleamos da sujeira de nossa chafurdação, respiramos fundo e marchamos para o campo — sentindo-nos, no geral, bastante felizes em sair daquilo que nosso senhor havia nos enganado dizendo ser a liberdade, e de volta aos braços da escravidão.

Eu disse que esse tratamento faz parte de todo o sistema de fraude e desumanidade da escravidão. É assim. O modo aqui adotado para fazer com que o escravo rejeite a liberdade, permitindo que ele veja apenas o abuso dela, é mostrado também em outras coisas. Por exemplo, se um escravo adora melaço, ele rouba um pouco. Seu senhor, em muitos casos, vai para a cidade e compra uma grande quantidade; ao voltar, pega o chicote e ordena que o escravo coma o melaço, até que o pobre coitado fique doente só de ouvir a palavra. Às vezes, o mesmo modo é adotado para fazer com que os escravos se abstenham de pedir mais comida do que a sua permissão regular. O escravo gasta sua cota e pede mais. Seu senhor fica furioso com ele; mas, não querendo mandá-lo embora sem comida, dá a ele mais do que o necessário e o obriga a comê-la dentro de um determinado período. Então, se ele reclama que não consegue comer, diz-se que ele não fica satisfeito nem alimentado nem em jejum, e é açoitado por ser difícil de agradar! Tenho muitos exemplos do mesmo princípio, extraídos de minha própria observação, mas acho que os casos que citei são suficientes. A prática é muito comum.

Em 1º de janeiro de 1834, deixei o sr. Covey e fui morar com o sr. William Freeland, que morava a cerca de cinco quilômetros de St. Michaels. Logo achei o sr. Freeland um homem muito diferente do sr. Covey. Embora não fosse rico, ele era o que seria chamado de um educado cavalheiro do Sul. O sr. Covey, como mostrei, era um feitor e adestrador de negros bem treinado. O primeiro (apesar de ser senhor de escravos) parecia ter certa consideração pela honra, certa reverência pela justiça e certo respeito pela humanidade. O último parecia totalmente insensível a todos esses sentimentos.

Freeland tinha muitos dos defeitos peculiares dos senhores de escravos, como ser muito impetuoso e irritável; mas devo lhe fazer justiça ao dizer que ele era extremamente livre daqueles males degradantes nos quais o sr. Covey era constantemente viciado. Um era aberto e franco, e sempre sabíamos onde encontrá-lo. O outro era um enganador astuto, e só podia ser entendido por pessoas habilidosas o bastante para detectar suas farsas ardilosamente inventadas.

Outra vantagem que ganhei com meu novo senhor foi que ele não tinha pretensões nem professava religião; e isso, na minha opinião, foi realmente uma grande vantagem. Afirmo, sem hesitar, que a religião do Sul é um mero disfarce para os crimes mais horríveis — uma justificativa para a barbárie mais assustadora, um santificador das fraudes mais odiosas e um abrigo escuro sob o qual as mais sombrias, sujas, grosseiras e infernais ações dos senhores de escravos encontram a proteção mais forte. Se eu fosse novamente reduzido às correntes da escravidão, consideraria ser escravo de um senhor religioso a maior calamidade que poderia me acontecer. Porque de todos os senhores de escravos que já conheci, os religiosos são os piores. Acho-os piores e mais baixos, mais cruéis e mais covardes que todos os outros.

Foi minha infeliz sina não apenas pertencer a um senhor de escravos religioso, mas viver em uma comunidade de tais religiosos. Muito perto do sr. Freeland morava o reverendo Daniel Weeden, e no mesmo bairro morava o rev. Rigby Hopkins. Estes eram membros e ministros da Igreja Metodista Reformada. O sr. Weeden possuía, entre outros, uma escrava, cujo nome esqueci. As costas dessa mulher, durante semanas, foram mantidas literalmente em carne viva, por conta do chicote desse impiedoso e miserável religioso. Ele costumava contratar escravos. Sua máxima era: quer se comporte bem ou mal, é dever de um senhor ocasionalmente açoitar um escravo, para lembrá-lo da autoridade de seu senhor. Essa era sua teoria e sua prática.

O sr. Hopkins era ainda pior que o sr. Weeden. Seu principal orgulho era sua capacidade de gerenciar escravos. A característica peculiar de sua administração era a de açoitar escravos antes que eles merecessem. Sempre inventava um jeito de ter um ou mais de seus escravos para açoitar toda segunda-feira de manhã. Fazia isso para alarmar seus medos e aterrorizar aqueles que escapavam da punição. Seu plano era atacar os menores delitos, para impedir o cometimento de delitos maiores. O sr. Hopkins sempre conseguia arranjar uma

Union with Freemen--No Union with Slaveholders.

ANTI-SLAVERY MEETINGS!

Anti-Slavery Meetings will be held in this place, to commence on at in the

To be Addressed by

Agents of the Western ANTI-SLAVERY SOCIETY.

Three millions of your fellow beings are in chains--the Church and Government sustains the horrible system of oppression.

Turn Out!

AND LEARN YOUR DUTY TO YOURSELVES, THE SLAVE AND GOD.

EMANCIPATION or DISSOLUTION, and a FREE NORTHERN REPUBLIC!

HOMESTEAD PRINT, SALEM, OHIO.

desculpa para açoitar um escravo. Seria de surpreender alguém não acostumado a uma vida com escravos ver com que facilidade incrível um senhor consegue encontrar coisas com as quais criar ocasião para açoitar um escravo. Um simples olhar, palavra ou movimento — um erro, acidente ou o desejo de poder — são todos motivos pelos quais um escravo pode ser açoitado a qualquer momento. O escravo parece insatisfeito? Dizem que ele tem o diabo no corpo e deve ser açoitado. Ele fala alto quando se dirige ao seu senhor? Então está ficando nervoso e deve ser derrubado no mais profundo buraco. Ele se esquece de tirar o chapéu quando se aproxima de uma pessoa branca? Então falta-lhe respeito e deve ser açoitado por isso. Ele se arrisca a justificar sua conduta, quando censurado por ela? Então, é culpado de insolência — um dos maiores crimes dos quais um escravo pode ser culpado. Ele se atreve a sugerir um modo diferente de fazer as coisas indicadas por seu senhor? Ele é realmente presunçoso e está se superando, e nada menos que um açoite lhe fará bem. Ele, enquanto lavra, quebra um arado — ou, enquanto capina, quebra uma enxada? É devido ao seu descuido, e por isso o escravo deve sempre ser açoitado.

O sr. Hopkins sempre conseguia encontrar algo desse tipo para justificar o uso do chicote e raramente falhava em aproveitar essas oportunidades. Não havia um homem em todo o condado que tivesse casa própria com quem os escravos não preferissem viver, em vez de com esse reverendo sr. Hopkins. E, no entanto, não havia um homem em nenhum lugar que fizesse declarações religiosas mais elevadas ou fosse mais ativo em avivamentos — mais atento à classe, ao ágape, às reuniões de oração e pregação, ou mais devoto em sua família —, que orasse mais cedo, mais tarde, mais alto e por mais tempo do que esse mesmo reverendo e senhor de escravos, Rigby Hopkins.

Ao lado: "*Encontros Abolicionistas! (...) Três milhões de seus semelhantes estão acorrentados; a Igreja e o Governo sustentam o horrível sistema de opressão*".

Mas voltemos ao sr. Freeland, e à minha experiência enquanto trabalhava para ele. O sr. Freeland, como o sr. Covey, nos dava o suficiente para comer; mas, diferentemente do sr. Covey, ele também nos dava tempo suficiente para fazer nossas refeições. Fazia-nos trabalhar duro, mas sempre entre o nascer e o pôr do sol. Exigia que muito trabalho fosse feito, mas nos dava boas ferramentas para fazê-lo. Sua fazenda era grande, mas ele empregava pessoas suficientes para trabalhar nela, e com facilidade, em comparação com muitos de seus vizinhos. Meu tratamento, enquanto seu escravo, foi divino, comparado com o que experimentei nas mãos do sr. Edward Covey.

O próprio Freeland era o dono de apenas dois escravos. Seus nomes eram Henry Harris e John Harris. O resto dos ajudantes ele contratava. Estes consistiam em mim, Sandy Jenkins[12] e Handy Caldwell.

Henry e John eram bastante inteligentes e, pouco tempo depois de eu ir para lá, consegui criar neles um forte desejo de aprender a ler. Esse desejo logo surgiu nos outros também. Logo reuniram alguns livros de ortografia antigos e insistiram em manter uma escola aos domingos. Concordei em fazê-lo e, consequentemente, dediquei esse dia a ensinar meus amados companheiros escravos a ler. Nenhum deles conhecia as letras quando cheguei lá. Alguns dos escravos das fazendas vizinhas descobriram o que estava acontecendo e também aproveitaram essa pequena oportunidade para aprender a ler. Entendia-se, entre todos os que vieram, que deveria haver o mínimo possível de conversas sobre a escola. Era necessário manter nossos senhores religiosos em St. Michaels ignorantes do fato de que, em vez de passarmos o domingo lutando, boxeando e bebendo uísque, estávamos tentando aprender a ler a vontade de Deus; pois eles preferiam nos ver envolvidos nesses hábitos degradantes do

12 Este é o mesmo homem que me deu as raízes para impedir que eu fosse açoitado pelo sr. Covey. Ele era "uma alma inteligente". Falávamos muito sobre minha luta com Covey e ele reivindicava meu sucesso como resultado da raiz que me deu. Essa superstição é muito comum entre os escravos mais ignorantes. Um escravo raramente morre sem que sua morte seja atribuída a trapaças. [N. do A.]

que nos ver nos comportando como seres intelectuais, morais e responsáveis. Meu sangue ferve ao pensar na maneira sangrenta como os senhores Wright Fairbanks e Garrison West, dois líderes de classe, em conluio com muitos outros, avançaram sobre nós com paus e pedras e quebraram nossa virtuosa escola dominical em St. Michaels — todos se autoproclamando cristãos! Humildes seguidores do Senhor Jesus Cristo! Mas estou divagando novamente.

A escola era na casa de um homem negro livre, cujo nome considero imprudente mencionar; pois, se fosse sabido, isso o constrangeria muito, embora o crime de manter a escola tenha sido cometido há dez anos. Eu já tinha mais de quarenta alunos, e os do tipo certo, que desejavam ardentemente aprender. Eram de todas as idades, embora principalmente homens e mulheres adultos. Olho para aqueles domingos com um prazer tal que não consigo expressar. Foram ótimos dias para minha alma. O trabalho de instruir meus queridos companheiros escravos foi a mais doce missão com a qual fui abençoado. Nós nos amávamos, e deixá-los no final do domingo era difícil.

Quando penso que essas preciosas almas estão hoje trancadas na prisão da escravidão, meus sentimentos tomam conta de mim e me vejo prestes a perguntar: será que um Deus justo governa o universo? E para que ele mantém trovões na mão direita, se não para ferir o opressor e livrar os oprimidos de suas mãos? Essas queridas almas não vieram para a escola porque era algo popular a se fazer, nem as ensinei porque era algo respeitável. A cada momento que passavam naquela escola, poderiam ser flagradas e receber trinta e nove chicotadas. Vieram porque queriam aprender. Seus cruéis senhores haviam deixado suas mentes passar fome. Estavam trancadas na escuridão mental. Eu as ensinei porque era o deleite da minha alma fazer algo que parecia melhorar a condição da minha raça.

Mantive minha escola quase o ano inteiro em que morei com o sr. Freeland; e, além da escola, dediquei três noites na semana, durante o inverno, a ensinar os escravos da casa. E tenho a felicidade de saber que muitos dos que vieram à escola aprenderam a ler, e um deles, pelo menos, agora está livre através da minha ação.

O ano passou sem problemas. Pareceu durar apenas cerca da metade do ano que o precedeu. Passei por ele sem receber um único golpe. Darei ao sr. Freeland o crédito de ser o melhor senhor que já tive *até me tornar meu próprio senhor.* Pela facilidade com que passei o ano, fiquei, porém, em débito com a sociedade de meus companheiros escravos. Eles eram almas nobres; não apenas tinham corações amorosos, mas também corajosos. Estávamos ligados e interligados. Eu os amei com um amor mais forte do que qualquer coisa que experimentei desde então. Diz-se às vezes que nós, escravos, não nos amamos nem confiamos uns nos outros. Em resposta a essa afirmação, posso dizer que nunca amei ninguém nem confiei em ninguém mais do que em meus colegas escravos, e especialmente aqueles com os quais eu morava na casa do sr. Freeland. Acredito que teríamos morrido uns pelos outros. Nunca nos comprometíamos a fazer nada, de qualquer importância, sem uma consulta mútua. Nunca agíamos separadamente. Éramos um, tanto por nossos temperamentos e caracteres quanto pelas dificuldades mútuas às quais fomos necessariamente submetidos por nossa condição de escravos.

No final do ano de 1834, o sr. Freeland novamente me contratou do meu senhor para o ano de 1835. Mas, a essa altura, comecei a querer viver *em terras livres,* assim como *com* Freeland[13]; e eu não estava mais satisfeito, portanto, em morar com ele nem com nenhum outro senhor de escravos. Comecei, no início do ano, a me preparar para uma luta final, que deveria decidir meu destino de uma maneira ou de outra. Minha tendência era crescer. Eu estava me aproximando rapidamente da maturidade, e ano após ano havia passado, e ainda era escravo. Esses pensamentos me despertaram — eu precisava fazer alguma coisa. Resolvi, portanto, que 1835 não

13 Freeland significa "terra livre". [N. da R.]

deveria passar sem testemunhar uma tentativa, de minha parte, de garantir minha liberdade.

Mas eu não estava disposto a nutrir essa determinação sozinho. Meus companheiros escravos eram queridos para mim. Estava ansioso para que eles participassem comigo dessa minha determinação vivificante. Portanto, embora com grande prudência, comecei cedo a verificar seus pontos de vista e sentimentos em relação à sua condição e a imbuir suas mentes com ideias de liberdade. Inclinei-me a inventar maneiras e meios para nossa fuga e, enquanto isso, me esforçava, em todas as ocasiões apropriadas, para impressioná-los com a fraude grosseira e a desumanidade da escravidão. Falei primeiro com Henry, depois com John, em seguida os outros. Encontrei em todos eles corações calorosos e espíritos nobres. Eles estavam prontos para ouvir e prontos para agir quando um plano viável fosse proposto. Era isso que eu queria. Conversei com eles sobre nossa falta de coragem se estávamos dispostos a nos submeter à escravização sem pelo menos um nobre esforço para sermos livres.

Nós nos encontramos com frequência, nos consultamos com frequência e compartilhamos nossas esperanças e medos, relatando as dificuldades, reais e imaginárias, que seríamos convocados a enfrentar. Às vezes estávamos quase dispostos a desistir e tentar nos contentar com o nosso destino miserável; em outras, éramos firmes e inflexíveis em nossa determinação de partir. Sempre que sugeríamos algum plano, havia um retroceder — as chances eram assustadoras. Nosso caminho era barrado pelos maiores obstáculos; e, se conseguíssemos chegar ao fim dele, nosso direito à liberdade ainda seria questionável — ainda estaríamos suscetíveis a retornar à escravidão. Não conseguimos ver nenhum lugar, deste lado do oceano, onde poderíamos ser livres. Não sabíamos nada sobre o Canadá. Nosso conhecimento do Norte não se estendia além de Nova York; e ir para lá e ser assediado para sempre com a terrível possibilidade de voltar à escravidão — com a certeza de ser tratado dez vezes pior do que antes —, o pensamento era realmente horrível e não era fácil de superar. O caso, às vezes, era o seguinte: em todo portão pelo qual devíamos passar, víamos um vigia; em toda balsa, um guarda; em toda ponte, um sentinela; e em toda floresta, uma patrulha. Estávamos cercados por todos os lados.

Aqui estavam as dificuldades, reais ou imaginárias — o bem a ser buscado e o mal a ser evitado. Por um lado, havia a escravidão, uma realidade severa, que nos assustava demais — suas vestes já manchadas com o sangue de milhões, e mesmo agora banqueteando-se avidamente com nossa própria carne. Por outro lado, lá atrás, na penumbra, sob a luz tremeluzente da estrela do norte, atrás de alguma colina escarpada ou montanha coberta de neve, havia uma liberdade duvidosa — meio congelada — nos chamando para compartilhar sua hospitalidade. Isso, por si só, às vezes era suficiente para nos surpreender; mas, quando nos permitíamos inspecionar a estrada, ficávamos frequentemente horrorizados. De ambos os lados, víamos a morte sombria, assumindo as formas mais horríveis. Uma hora era a fome, levando-nos a comer a nossa própria carne; depois estávamos lutando com as ondas e afogados; em seguida éramos surpreendidos e despedaçados pelas presas do terrível cão de caça. Éramos atacados por escorpiões, perseguidos por bestas selvagens, picados por cobras e, finalmente, depois de quase chegarmos ao local desejado — depois de nadar nos rios, encontrar animais selvagens, dormir na floresta, sofrer com a fome e a nudez —, éramos alcançados por nossos perseguidores e, em nossa resistência, éramos mortos a tiros no local! Afirmo que essa imagem por vezes nos chocou e nos fez

melhor suportar os males que tivemos,
Do que voar para outros, dos quais não sabíamos nada.[14]

14 Citação de *Hamlet,* de William Shakespeare. No original: "*rather bear those ills we had, than fly to others, that we knew not of*". [N. da T.]

Ao chegar a uma determinação fixa de fugir, fizemos mais do que Patrick Henry[15], quando decidiu entre a liberdade ou a morte. Conosco, era uma liberdade duvidosa, no máximo, e morte quase certa se fracassássemos. Da minha parte, prefiro a morte à escravidão sem esperança.

Sandy, um dos nossos, desistiu da ideia, mas ainda nos encorajou. Nosso grupo então consistia em Henry Harris, John Harris, Henry Bailey, Charles Roberts e eu. Henry Bailey era meu tio e pertencia ao meu senhor. Charles se casou com minha tia: ele pertencia ao sogro do meu senhor, o sr. William Hamilton.

O plano que finalmente concluímos era: obter uma grande canoa pertencente ao sr. Hamilton e, na noite do sábado anterior ao feriado da Páscoa, remar diretamente pela Baía de Chesapeake. Quando chegássemos à orla da baía, a uma distância de setenta ou oitenta quilômetros de onde morávamos, era nosso objetivo desviar nossa canoa e seguir a orientação da estrela do norte até chegarmos além dos limites de Maryland. Nossa razão para seguir a rota da água era que estávamos menos sujeitos a levantar suspeitas de sermos fugitivos; esperávamos ser considerados pescadores; ao passo que, se seguíssemos a rota terrestre, estaríamos sujeitos a interrupções de quase todo tipo. Qualquer pessoa branca e disposta poderia nos parar e nos sujeitar a exames.

Na semana anterior ao início pretendido, escrevi vários bilhetes, um para cada um de nós. Tanto quanto me lembro, eles estavam nas seguintes palavras, a saber:

15 Patrick Henry foi uma figura proeminente na Revolução Americana, conhecido e lembrado por seu discurso "Give me liberty or give me death", "dê-me a liberdade ou a morte", em tradução livre. [N. da T.]

Isto é para certificar que eu, abaixo assinado, dei ao portador, meu criado, liberdade total para ir a Baltimore e passar o feriado de Páscoa.

Escrito com a minha própria mão, 1835.
WILLIAM HAMILTON,
Perto de St. Michaels, no condado de Talbot, Maryland.

Não estávamos indo para Baltimore; mas, subindo pela baía, iríamos em direção a Baltimore, e esses bilhetes só nos protegeriam enquanto estivéssemos na baía.

À medida que se aproximava o momento da nossa partida, nossa ansiedade se tornava cada vez mais intensa. Era realmente uma questão de vida ou morte para nós. A força de nossa determinação estava prestes a ser totalmente testada. Naquela época, eu era muito ativo em explicar todas as dificuldades, remover todas as dúvidas, dissipar todos os medos e inspirar a todos a firmeza indispensável ao sucesso de nosso empreendimento, assegurando-lhes que metade já era nossa no instante em que nos decidimos, que já tínhamos conversado por tempo suficiente e agora estávamos prontos para mudar; se não agora, nunca estaríamos; e, se não pretendíamos agir agora, também tínhamos que cruzar os braços, sentar e nos reconhecer aptos a ser escravos. Isso, nenhum de nós estava preparado para reconhecer. Todo homem permaneceu firme; e, em nossa última reunião, nos comprometemos novamente, da maneira mais solene, na hora marcada, a certamente começar a buscar a liberdade. Isso foi no meio da semana no final da qual deveríamos ir embora. Fomos, como sempre, a nossos diversos campos de trabalho, mas com o coração extremamente agitado com pensamentos sobre nosso empreendimento verdadeiramente perigoso. Tentamos esconder nossos sentimentos o máximo possível, e acho que conseguimos fazê-lo muito bem.

Depois de uma espera dolorosa, chegou a manhã de sábado, cuja noite testemunharia nossa partida. Eu a saudei com alegria, mesmo que trouxesse tristeza. A sexta à noite fora sem sono para mim. Provavelmente fiquei mais ansioso do que o resto, porque estava, de comum acordo, à frente de todo o caso. A responsabilidade do sucesso ou fracasso pesava sobre mim. A glória de um e a confusão do outro também eram minhas. As primeiras duas horas daquela manhã foram algo que nunca havia experimentado antes, e espero nunca mais fazê-lo. De manhã cedo, fomos, como sempre, para o campo. Estávamos espalhando estrume; e de repente, enquanto estava assim, fui dominado por um sentimento indescritível, em cuja plenitude me virei para Sandy, que estava por perto, e disse:

— Fomos traídos!

— Bem — disse ele —, esse pensamento acaba de me ocorrer.

Não dissemos mais nada. Nunca mais tive tanta certeza de algo.

A trombeta tocou como sempre, e subimos do campo para a casa para tomar o café da manhã. Fui mais pela rotina do que pela vontade de comer alguma coisa naquela manhã. Assim que cheguei em casa, olhando para o portão, vi quatro homens brancos com dois homens negros. Os brancos estavam a cavalo e os negros andavam atrás, como se estivessem amarrados. Eu os observei alguns momentos até que chegaram ao nosso portão. Ali eles pararam e amarraram os homens negros ao pilar do portão. Eu ainda não tinha certeza de qual era o problema.

Em alguns instantes, entrou o sr. Hamilton, com uma velocidade que demonstrava grande emoção. Ele chegou à porta e perguntou se o sr. William estava lá dentro. Disseram-lhe que estava no celeiro. Hamilton, sem desmontar, foi ao celeiro com uma velocidade extraordinária. Em alguns momentos, ele e o sr. Freeland voltaram para casa. A essa altura, os três feitores vieram e, com grande pressa, desmontaram, amarraram os cavalos e encontraram o sr. William e o sr. Hamilton voltando do celeiro; depois de conversar um pouco, todos caminharam até a porta da cozinha. Não havia ninguém na cozinha além de mim e John. Henry e Sandy estavam no celeiro. O sr. Freeland passou a cabeça pela porta e me chamou pelo nome, dizendo que havia alguns cavalheiros que queriam falar comigo. Fui até a porta e perguntei o que eles queriam. Imediatamente me apreenderam e, sem me dar nenhuma satisfação, me amarraram, atando minhas mãos. Insisti em saber qual era o problema. Finalmente, disseram saber que eu tinha estado em uma briga e que deveria ser examinado diante de meu senhor, e, se a informação deles fosse falsa, não me machucariam.

Em alguns momentos, eles conseguiram amarrar John. Então, voltaram-se para Henry, que já havia retornado, e ordenaram que ele cruzasse as mãos.

— Não! — Henry disse em um tom firme, indicando sua prontidão para enfrentar as consequências de sua recusa.

— Não? — disse Tom Graham, o feitor.

— Não, não! — Henry repetiu, em um tom ainda mais forte. Com isso, dois dos feitores sacaram suas pistolas brilhantes e juraram, pelo Criador, que o fariam cruzar as mãos ou o matariam. Cada um deles levantou a pistola e, com os dedos no gatilho, caminharam até Henry, dizendo, ao mesmo tempo, que, se ele não cruzasse as mãos, estourariam seu maldito coração.

— Atirem em mim, atirem em mim! — disse Henry. — Vocês só podem me matar uma vez. Atirem, atirem, e que se dane! Eu não vou ser amarrado! — Isso ele disse em tom de alto desafio; e, ao mesmo tempo, com um movimento tão rápido quanto um raio, com um único golpe tirou as pistolas da mão de cada feitor. Ao fazer isso, todas as mãos caíram sobre ele e, depois de bater nele por algum tempo, finalmente o dominaram e o amarraram.

Durante a briga, consegui, não sei como, pegar meu bilhete e, sem ser descoberto, joguei-o no fogo. Agora, estávamos todos amarrados; e, quando estávamos indo para a prisão de Easton, Betsy Freeland, mãe de William Freeland, chegou à porta com as mãos cheias de biscoitos e os dividiu entre Henry e John. Ela então fez um discurso, falando comigo:

— Seu demônio! Seu demônio amarelo! Foi você quem colocou na cabeça de Henry e John a ideia de fugir. É sua culpa, seu demônio negro de pernas longas! Nem Henry nem John jamais pensariam em uma coisa dessas.

Não respondi e fui imediatamente levado em direção a St. Michaels. Apenas um momento antes da briga com Henry, o sr. Hamilton sugeriu a conveniência de fazer uma busca pelos bilhetes que ele entendeu que eu havia escrito para mim e para os outros. Mas, no momento em que ele estava prestes a levar sua proposta adiante, sua ajuda foi necessária para amarrar Henry; e a agitação acompanhando a briga os levou a esquecer, ou a considerar inseguro, nas circunstâncias, procurar. Portanto, ainda não estavam convencidos da intenção de fugir.

Quando chegamos a meio caminho de St. Michaels, enquanto os feitores que nos prendiam estavam olhando para a frente, Henry perguntou-me o que deveria fazer com seu bilhete. Eu disse para ele comê-lo com seu biscoito e não ter nada; e passamos a palavra: "Não tenha nada" e "Não tenha nada!", dissemos todos nós. Nossa confiança uns nos outros era inabalável. Estávamos decididos a ter sucesso ou fracassar juntos, depois que a calamidade havia nos atingido, tanto quanto antes. Agora estávamos preparados para qualquer coisa. Naquela manhã, seríamos arrastados por vinte e quatro quilômetros atrás de cavalos e depois colocados na prisão de Easton. Quando chegamos a St. Michaels, passamos por uma espécie de exame. Todos negamos a intenção de fugir. Fizemos isso mais para afastar as evidências contra nós do que por nutrir qualquer esperança de escapar de sermos vendidos; pois, como eu disse, estávamos prontos para isso. O fato é que nós nos importávamos muito pouco com para onde íamos, contanto que fôssemos juntos. Nossa maior preocupação era com a separação. Nós a temíamos mais do que qualquer coisa deste lado da morte.

Descobrimos que a prova contra nós era o testemunho de uma pessoa; nosso senhor não diria quem era, mas chegamos a uma decisão

"Da plantação para o Senado". Arte de 1883 sobre as conquistas de vários homens afro-americanos que foram escravizados.

unânime entre nós sobre quem era seu informante. Fomos enviados para a prisão em Easton. Quando chegamos lá, fomos entregues ao xerife, o sr. Joseph Graham, e por ele colocados na prisão. Henry, John e eu fomos deixados juntos em uma sala; Charles e Henry Bailey, em outra. O objetivo deles ao nos separar era impedir que combinássemos algo.

Estávamos na prisão havia apenas vinte minutos, quando um enxame de comerciantes de escravos e agentes de comerciantes de escravos entrou na cadeia para olhar para nós e verificar se estávamos à venda. Um conjunto de seres que nunca vi antes! Senti-me cercado por demônios da perdição. Um bando de piratas nunca se parecia mais com o pai deles, o diabo, do que aqueles homens. Eles riram e sorriram para nós, dizendo:

— Ah, meus meninos! Pegamos vocês, não é?

E depois de nos provocarem de várias maneiras, um por um, eles nos examinaram, com a intenção de determinar nosso valor. Perguntaram, descaradamente, se não gostaríamos de tê-los como nossos senhores. Não lhes demos resposta e deixamos que descobrissem como pudessem. Então eles nos xingaram e praguejaram, dizendo que poderiam acabar conosco em pouco tempo, se ao menos estivéssemos em suas mãos.

Enquanto estávamos na prisão, encontramo-nos em um alojamento muito mais confortável do que esperávamos quando fomos para lá. Não conseguíamos comer muito, nem o que era muito bom; mas tínhamos uma sala boa e limpa, e pelas janelas podíamos ver o que estava acontecendo na rua, o que era muito melhor do que se tivéssemos sido deixados em uma das celas escuras e úmidas. No geral, passamos muito bem, no que diz respeito à prisão e ao seu detentor.

Imediatamente após o término do feriado, ao contrário de todas as nossas expectativas, o sr. Hamilton e o sr. Freeland foram até Easton e tiraram Charles, os dois Henrys e John da prisão, e os levaram para casa, deixando-me sozinho. Considerei essa separação como final. Isso me causou mais dor do que qualquer outra coisa em toda a transação. Eu estava pronto para qualquer coisa, mas não para me separar deles. Supus que tivessem conversado juntos e decidido que, como eu era a causa da intenção dos outros de fugir, era cruel fazer os inocentes sofrerem com o culpado; e que eles haviam, portanto, decidido levar os outros para casa e me vender, como um aviso aos que restavam. É preciso dizer sobre o nobre Henry que ele parecia quase tão relutante em deixar a prisão quanto em sair de casa para ir à prisão. Mas sabíamos que seríamos, com toda a probabilidade, separados, se fôssemos vendidos; e, como estava nas mãos deles, ele terminou indo pacificamente para casa.

Agora, estava entregue ao meu destino. Estava sozinho e dentro dos muros de uma prisão de pedra. Mas, alguns dias antes, estivera cheio de esperança. Sonhara estar seguro em uma terra de liberdade, mas agora estava coberto de melancolia, afundado no extremo desespero. Pensei que a possibilidade de liberdade se fora.

Fiquei assim por cerca de uma semana, ao final da qual o capitão Auld, meu senhor, para minha surpresa e profundo espanto, apareceu e me levou para fora, com a intenção de me enviar, com um cavalheiro conhecido dele, ao Alabama. Mas, por um motivo ou outro, ele não me mandou para o Alabama, mas decidiu me enviar de volta a Baltimore, para viver novamente com seu irmão Hugh e aprender um ofício.

Assim, depois de uma ausência de três anos e um mês, tive mais uma vez permissão para voltar à minha antiga casa em Baltimore. Meu senhor me mandou embora porque existia contra mim um preconceito muito grande na comunidade, e ele temia que eu fosse morto.

Poucas semanas depois de eu ir para Baltimore, o sr. Hugh me deixou ser contratado pelo sr. William Gardner, um construtor de navios, em Fell's Point. Fui colocado lá para aprender a ser calafetador. Porém, esse provou ser um lugar muito desfavorável para a realização desse objetivo. Gardner estava envolvido naquela primavera na construção de dois grandes navios de guerra para o governo mexicano. Os navios seriam lançados em julho daquele ano, do contrário, o sr. Gardner perderia uma quantia considerável; de modo que, quando entrei, todos estavam apressados. Não havia tempo para aprender nada. Todo homem tinha que fazer o que sabia fazer.

Ao entrar no estaleiro, as ordens do sr. Gardner para mim foram: fazer o que os carpinteiros me mandassem fazer. Isso me colocava à disposição de cerca de setenta e cinco homens. Eu deveria considerar todos esses senhores. A palavra deles seria minha lei. Minha situação era muito difícil. Às vezes eu precisava de uma dúzia de mãos. Era chamado de uma dúzia de maneiras no espaço de um único minuto. Três ou quatro vozes atingiam meu ouvido no mesmo momento. Eram: "Fred, venha me ajudar a chanfrar esta tábua aqui", "Fred, venha carregar esta tábua", "Fred, traga aquele rolo aqui", "Fred, vá buscar uma lata nova de água", "Fred, venha ajudar a serrar a ponta desta tábua", "Fred, vá rápido e pegue o pé de cabra", "Fred, segure o final desta talha", "Fred, vá à loja do ferreiro e traga uma nova ferramenta", "Rápido, Fred! Corra e me traga um cinzel frio", "Fred, me dê uma mão e acenda o fogo o mais rápido possível", "Alô, negro! Venha, vire essa pedra de amolar", "Venha, venha! Ande, ande e incline esta tábua para a frente", "Negro, abra os olhos, por que você não esquenta um pouco de piche?", "Alô! alô! alô!" (três vozes ao mesmo tempo), "Venha aqui! Vá lá! Fique onde está! Droga, se você se mexer, eu vou bater na sua cabeça!".

Essa foi minha escola por oito meses; e eu poderia ter ficado lá por mais tempo, se não fosse por causa de uma briga terrível que tive com quatro dos aprendizes brancos, em que meu olho esquerdo quase foi arrancado, e que me deixou terrivelmente mutilado em outros aspectos. Os fatos no caso foram os seguintes: até pouco tempo depois de eu ir para lá, carpinteiros de navios brancos e negros trabalhavam lado a lado, e ninguém parecia ver nenhuma impropriedade nisso. Todos os trabalhadores pareciam estar muito satisfeitos. Muitos dos carpinteiros negros eram homens livres. As coisas pareciam estar indo muito bem.

De repente, os carpinteiros brancos pararam e disseram que não trabalhariam com negros livres. Sua razão para isso, como alegavam, era que, se os carpinteiros negros livres fossem incentivados, logo tomariam conta da profissão, e os homens brancos pobres seriam expulsos do emprego. Portanto, eles se sentiram obrigados a pôr um fim nisso. E, aproveitando as necessidades do sr. Gardner, eles pararam, jurando que não trabalhariam mais, a menos que ele dispensasse os carpinteiros negros.

Agora, embora isso não se estendesse a mim na teoria, me alcançou na realidade. Meus colegas aprendizes logo começaram a sentir que era degradante para eles trabalharem comigo. Começaram a se exibir e conversaram sobre os "negros" que tomavam o país, dizendo que todos nós deveríamos ser mortos; e, incentivados pelos trabalhadores, começaram a dificultar minha condição, me xingando e às vezes me atacando. Obviamente, mantive o juramento que fiz após a briga com o sr. Covey e revidei de novo, não importando as consequências, e me saí bem enquanto impedi que se reunissem, pois conseguiria acabar com todos eles se os enfrentasse separadamente.

Eles, no entanto, finalmente se reuniram e me atacaram, armados com paus, pedras e pesadas alavancas. Um veio na frente com meio tijolo. Havia um de cada lado meu e um atrás de mim. Enquanto eu olhava os que estavam na frente e de ambos os lados, o de trás correu com a alavanca e me deu um forte golpe na cabeça. Isso me surpreendeu. Eu caí, e com isso todos eles correram contra mim e começaram a me bater com os punhos. Eu os deixei me bater por um tempo, reunindo forças. Em um instante, dei um súbito pulo e me apoiei nas mãos e joelhos. Assim que fiz isso, um deles me deu, com sua bota pesada, um chute poderoso no olho esquerdo. Meu globo ocular pareceu ter estourado.

Quando viram meu olho fechado e muito inchado, me deixaram. Com isso, agarrei a alavanca e, por um tempo, os persegui. Mas aqui os carpinteiros interferiram, e pensei em desistir. Era impossível erguer minha mão contra tantas.

Tudo isso aconteceu à vista de não menos que cinquenta carpinteiros brancos, e nenhum interpôs uma palavra amigável, mas alguns gritaram:

— Matem esse maldito negro! Matem! Matem! Ele bateu numa pessoa branca.

Descobri que minha única chance de viver era fugir. Consegui escapar sem mais golpes, e por pouco, pois agredir um homem branco resulta em pena de morte pela Lei de Lynch[16] — e essa era a lei no estaleiro do sr. Gardner.

Fui diretamente para casa e contei a história dos meus erros ao sr. Hugh; e fico feliz em dizer que, por mais irreligioso que fosse, sua conduta foi celestial, comparada à de seu irmão Thomas em circunstâncias semelhantes. Ele ouviu atentamente a minha narração das circunstâncias que levaram ao ultraje selvagem e deu muitas provas de sua forte indignação. O coração de minha senhora outrora generosa novamente se derreteu em piedade. Meu olho inchado e meu rosto coberto de sangue a fizeram chorar. Ela pegou uma cadeira para mim, lavou o sangue do meu rosto e, com ternura de mãe, pôs bandagens na minha cabeça, cobrindo o olho ferido com um pedaço magro de carne fresca. Foi quase uma compensação pelo meu sofrimento testemunhar, mais uma vez, uma manifestação de bondade dela, minha antiga e afetuosa senhora.

O sr. Hugh ficou muito enfurecido. Expressou seus sentimentos derramando maldições sobre as cabeças daqueles que cometeram o ato. Assim que melhorei um pouco das minhas contusões, ele me levou ao escritório do sr. Watson, advogado, na Rua Bond, para ver o que poderia ser feito a respeito do caso. O sr. Watson perguntou

16 O nome é de origem controversa, atribuído a mais de uma figura histórica, e provavelmente deu origem à palavra "linchamento". [N da R.]

quem vira o ataque ser cometido. O sr. Hugh disse que acontecera no estaleiro de Gardner ao meio-dia, onde havia uma grande companhia de homens trabalhando.

— Quanto a isso — disse ele —, o ato foi cometido e não há dúvida sobre quem o fez.

Sua resposta foi que ele não poderia fazer nada no caso, a menos que um homem branco se apresentasse e testemunhasse. Ele não poderia expedir nenhum mandado por minha palavra. Se eu tivesse sido morto na presença de mil pessoas negras, seus testemunhos combinados não seriam suficientes para prender um dos assassinos.

O sr. Hugh, pela primeira vez, foi obrigado a dizer que esse estado das coisas era muito ruim. É claro que era impossível que qualquer homem branco oferecesse seu testemunho em meu nome e contra os jovens brancos. Mesmo aqueles que poderiam ter se compadecido de mim não estavam preparados para fazer isso. Exigia um grau de coragem que eles desconheciam, pois justamente naquele momento a menor manifestação da humanidade em relação a uma pessoa negra era denunciada como abolicionismo, e esse termo sujeitava seu portador a responsabilidades assustadoras. As palavras de ordem dos sanguinários naquela região e naquela época eram: "Malditos abolicionistas!" e "Malditos sejam os negros!". Não havia nada a ser feito, e provavelmente nada teria sido feito se eu tivesse sido morto. Esse era e continua sendo o estado das coisas na cidade cristã de Baltimore.

O sr. Hugh, achando que não poderia obter reparação, recusou-se a me deixar voltar novamente ao sr. Gardner. Ele me manteve em casa, e sua esposa cuidou do meu ferimento até que eu recuperasse a saúde. Ele então me levou para o estaleiro em que era capataz, para ser empregado do sr. Walter Price. Lá, imediatamente aprendi a ser calafetador e logo dominei a arte de usar minha marreta e ferragens.

No decorrer de um ano, a partir do momento em que deixei o sr. Gardner, pude obter os ganhos mais altos dados aos trabalhadores mais experientes. Agora eu era de alguma importância para o meu senhor. Eu levava para ele de seis a sete dólares por semana. Às vezes, trazia nove dólares por semana: meu salário era de um dólar e meio por dia. Depois de aprender a calafetar, procurei meu próprio emprego, fiz meus próprios contratos e guardei o dinheiro que ganhei. Meu caminho ficou muito mais suave do que antes; minha condição agora era muito mais confortável.

Quando não conseguia exercer meu ofício, não fazia nada. Durante esses momentos de lazer, as velhas ideias de liberdade tomavam conta de mim novamente. Quando, no emprego do sr. Gardner, fui mantido em um turbilhão perpétuo de agitação, quase não conseguia pensar em nada além da minha vida; e, ao pensar na minha vida, quase esqueci minha liberdade. Observei isso em minha experiência de escravidão — que sempre que minha condição era melhorada, em vez de aumentar minha satisfação, apenas aumentava meu desejo de ser livre e me fazia pensar em planos para ganhar a liberdade. Descobri que, para deixar um escravo contente, é necessário torná-lo incapaz de pensar. É necessário escurecer sua visão moral e mental e, tanto quanto possível, aniquilar o poder da razão. Ele deve ser incapaz de detectar inconsistências na escravidão; deve sentir que a escravidão é certa; e só pode ser levado a isso quando deixar de ser homem.

Agora eu estava recebendo, como já disse, um dólar e cinquenta centavos por dia. Era contratado para isso, ganhava-o, era pago para mim, era meu por direito; no entanto, cada vez que voltava, no sábado à noite, eu era obrigado a entregar cada centavo desse dinheiro ao sr. Hugh. E por quê? Não porque ele o tivesse ganhado, não porque me ajudasse ganhá-lo, não porque eu lhe devesse isso, nem porque ele tivesse a menor sombra de direito sobre ele; mas apenas porque ele tinha o poder de me obrigar a entregar o dinheiro. O direito do pirata de rosto sombrio sobre o alto mar é exatamente o mesmo.

CAPÍTULO 11

Agora chego à parte da minha vida durante a qual planejei e finalmente consegui escapar da escravidão. Porém, antes de narrar qualquer uma das circunstâncias peculiares, considero apropriado expor minha intenção de não declarar todos os fatos relacionados a sua realização. Minhas razões para seguir esse curso podem ser entendidas a partir do seguinte: primeiro, se eu fizesse uma declaração minuciosa de todos os fatos, não é apenas possível, mas bastante provável que outros fossem envolvidos nas dificuldades mais embaraçosas. Em segundo lugar, essa afirmação indubitavelmente induziria maior vigilância por parte dos senhores de escravos do que existe até então entre eles; o que, é claro, seria o meio de guardar uma porta pela qual algum querido irmão de cárcere poderia escapar de suas correntes.

Lamento profundamente a necessidade que me impele a suprimir qualquer coisa de importância relacionada à minha experiência na escravidão. Sentiria grande prazer, de fato, além de aumentar materialmente o interesse de minha narrativa, se tivesse a liberdade de gratificar uma curiosidade, que sei existir na mente de muitos, por uma declaração precisa de todos os fatos pertencentes a minha felicíssima fuga. Mas devo me privar desse prazer e aos curiosos da gratificação que tal declaração proporcionaria. Eu estaria me permitindo sofrer sob as maiores imputações que os homens de mente má pudessem sugerir, em vez de me exaltar, e assim correria o risco de fechar a menor via pela qual um irmão escravo poderia se livrar das correntes e grilhões da escravidão.

Nunca aprovei a maneira muito pública como alguns de nossos amigos ocidentais conduziram o que chamam de *Underground Railroad*[17], mas acho que, pelas declarações abertas deles, ela foi feita de maneira mais enfática do que se fosse feita no nível superior. Honro aqueles bons homens e mulheres por sua nobre ousadia, e os aplaudo por se sujeitarem voluntariamente à sangrenta perseguição, declarando abertamente sua participação na fuga de escravos. No entanto, vejo muito pouco bem como resultado desse curso, seja para eles mesmos ou para os escravos que escapam; enquanto, por outro lado, vejo e tenho certeza de que essas declarações abertas são de fato um mal para os escravos restantes, que procuram escapar. Eles não fazem nada para esclarecer as coisas para o escravo, enquanto fazem muito para esclarecer para o senhor. Eles o estimulam a ter maior vigilância e aumentam seu poder de capturar seu escravo. Devemos algo ao escravo ao sul da linha, bem como àqueles ao norte dela; e, ajudando o último a caminho da liberdade, devemos tomar cuidado para não fazer nada que possa impedir o primeiro de escapar da escravidão.

Eu manteria o impiedoso senhor profundamente ignorante dos meios de fuga adotados pelos escravos. Eu o deixaria imaginar-se cercado por uma miríade de tormentos invisíveis, sempre prontos

17 A *Underground Railroad*, uma vasta rede de pessoas que ajudou escravos fugitivos a ir para o Norte e para o Canadá, não era administrada por nenhuma organização ou pessoa. Em vez disso, consistia em muitos indivíduos — muitos brancos, mas predominantemente negros — que conheciam apenas os esforços locais para ajudar fugitivos e não a operação geral. Ainda assim, efetivamente levava centenas de escravos para o Norte a cada ano — de acordo com uma estimativa, o Sul perdeu 100.000 escravos entre 1810 e 1850. [N. da T.]

para arrebatar de suas garras infernais suas presas trêmulas. Deixe que ele tateie o seu caminho no escuro, deixe a escuridão proporcional ao crime pairar sobre ele e deixe-o sentir que, a cada passo que dá em busca do fugitivo, ele corre o risco de ter o cérebro destruído por uma força invisível. Não prestemos auxílio ao tirano; não seguremos a luz pela qual ele pode rastrear as pegadas de nosso irmão fugitivo.

Mas chega disso. Vou agora prosseguir com a declaração desses fatos, relacionados à minha fuga, pela qual sou o único responsável e pela qual ninguém pode sofrer, a não ser eu.

No início do ano de 1838, fiquei bastante inquieto. Não via razão para, no final de cada semana, despejar a recompensa do meu trabalho nos bolsos do meu senhor. Quando levava para ele meu salário semanal, ele, depois de contar o dinheiro, olhava-me na cara com uma ferocidade de ladrão e perguntava: "É só isso?". Não ficava satisfeito com nada menos que até o último centavo. No entanto, quando eu lhe ganhava seis dólares, às vezes me dava seis centavos, para me incentivar. Teve o efeito oposto. Eu considerava isso uma espécie de admissão do meu direito ao todo. O fato de ele ter me dado parte do meu salário era uma prova, na minha opinião, de que ele acreditava que eu tinha direito a tudo. Eu sempre me sentia pior por ter recebido alguma coisa, pois temia que me dar alguns centavos aliviasse sua consciência e o fizesse sentir-se um tipo de ladrão bastante honrado.

O descontentamento cresceu em mim. Eu estava sempre procurando meios de escapar, e, não encontrando meios diretos, resolvi tentar alugar meu tempo, com o objetivo de conseguir dinheiro para escapar. Na primavera de 1838, quando o sr. Thomas veio a Baltimore para comprar seus artigos de primavera, tive uma oportunidade e pedi a ele que me permitisse alugar meu tempo. Ele recusou sem hesitar meu pedido e me disse que esse era outro estratagema para fugir. Disse que eu não poderia ir a lugar nenhum sem que ele me capturasse, e que, se eu fugisse, não pouparia esforços para me apanhar. Ele me exortou a me contentar e a ser obediente. Disse que, para ser feliz, eu não deveria fazer planos para o futuro. Disse que, se eu me comportasse corretamente, ele cuidaria de mim.

De fato, ele me aconselhou a parar de considerar o futuro e me ensinou a depender apenas dele para a felicidade. Parecia ver completamente a necessidade de que eu deixasse de lado minha natureza intelectual, a fim de me contentar com a escravidão. Mas apesar dele, e mesmo apesar de mim, continuei pensando, e pensando na injustiça da minha escravização e nos meios de fuga.

Cerca de dois meses depois, solicitei ao sr. Hugh o privilégio de alugar meu tempo. Ele não estava familiarizado com o fato de eu ter feito esse pedido ao sr. Thomas, que o negara. Ele também, a princípio, parecia disposto a recusar; mas, depois de alguma reflexão, ele me concedeu o privilégio e propôs os seguintes termos: eu teria permissão de dispor de todo o meu tempo, fazer todos os contratos para aqueles com quem trabalhasse e arranjar meu próprio emprego; e, em troca dessa liberdade, pagaria três dólares a ele no final de cada semana. Deveria também providenciar eu mesmo minhas ferramentas de calafetador, minha mesa e minhas roupas. Minha mesa custava dois dólares e meio por semana. Isso, com o desgaste das roupas e das ferramentas, tornava minhas despesas regulares cerca de seis dólares por semana. Essa quantia fui obrigado a prover ou renunciar ao privilégio de alugar meu tempo. Fizesse chuva ou sol, trabalhasse ou não, no final de cada semana o dinheiro deveria ser entregue, ou eu deveria renunciar ao meu privilégio.

Esse arranjo, você perceberá, foi decididamente a favor do meu senhor. Isso o aliviou de toda a necessidade de cuidar de mim. O dinheiro dele era certo. Ele recebia todos os benefícios da posse de escravos sem seus males, enquanto eu sofria todos os males de um escravo e todos as precauções e ansiedades de um homem livre. Achei a barganha difícil. Mas, por mais difícil que fosse, achei melhor do que o antigo modo de viver. Foi um passo em direção à liberdade de poder assumir as responsabilidades de um homem livre, e eu estava determinado a agarrá-la.

Eu me dediquei ao trabalho de ganhar dinheiro. Estava pronto para trabalhar de noite e de dia, e, com a perseverança e a atividade mais incansáveis, ganhei o suficiente para cobrir minhas despesas e depositar um pouco de dinheiro toda semana. Continuei assim de maio a agosto. Depois, o sr. Hugh se recusou a permitir que eu continuasse a alugar meu tempo.

O motivo de sua recusa foi um fracasso de minha parte, num sábado à noite, em pagá-lo pelo tempo da minha semana. Esse fracasso foi ocasionado por eu participar de uma reunião de acampamento a cerca de dezesseis quilômetros de Baltimore. Durante a semana, eu havia me comprometido com vários jovens amigos a partir de Baltimore para o acampamento no início da noite de sábado; e, sendo detido pelo meu empregador, não consegui ir até a casa do sr. Hugh sem decepcionar o grupo.

Eu sabia que o sr. Hugh não precisava do dinheiro naquela noite. Por isso, decidi ir à reunião do acampamento e, ao voltar, paguei a ele os três dólares. Fiquei na reunião do acampamento um dia a mais do que pretendia quando saí. Mas assim que voltei, pedi-lhe para me dizer o que ele considerava que eu lhe devia.

Encontrei-o muito zangado, mal conseguia conter sua ira. Disse que estava convencido a me açoitar severamente. Queria saber como ousei sair da cidade sem pedir sua permissão. Respondi que havia alugado meu tempo e, embora lhe pagasse o preço que ele pedia, não sabia que deveria perguntar quando e para onde deveria ir. Essa resposta o incomodou; e, depois de refletir alguns momentos, ele se virou para mim e disse que eu não deveria mais alugar meu tempo, que, quando ele menos esperasse, eu estaria fugindo. Com o mesmo pedido, ele me mandou levar minhas ferramentas e roupas para casa imediatamente.

Fiz isso; mas, em vez de procurar trabalho, como costumava fazer anteriormente para alugar meu tempo, passei a semana inteira sem trabalhar. Fiz isso em retaliação. Sábado à noite, ele me chamou como de costume para receber os pagamentos da minha semana. Eu disse a ele que não tinha pagamento; não tinha trabalhado naquela semana. Aqui estávamos a ponto de entrar em combate físico. Ele rugiu e jurou sua determinação de me bater. Não me permiti uma única palavra, mas resolvi que, se ele colocasse o peso de sua mão sobre mim, seria golpe por golpe. Ele não me golpeou, mas me disse que me arranjaria trabalho constante no futuro.

Pensei no assunto durante o dia seguinte, domingo, e finalmente resolvi que no terceiro dia de setembro faria uma segunda tentativa de garantir minha liberdade. Agora, tinha três semanas para me preparar para a minha jornada.

Na manhã de segunda-feira, antes que o sr. Hugh tivesse tempo de me arrumar qualquer compromisso, saí e consegui trabalho com sr. Butler, em seu estaleiro perto da ponte levadiça, no que é chamado de City Block, tornando desnecessário ele procurar emprego para mim.

No final da semana, eu lhe trouxe entre oito e nove dólares. Ele pareceu muito satisfeito e perguntou por que não fiz o mesmo na semana anterior. Pouco sabia quais eram meus planos. Meu objetivo ao trabalhar constantemente era remover qualquer suspeita que ele pudesse ter sobre minha intenção de fugir, e isso consegui admiravelmente. Suponho que ele pensou que nunca fiquei mais satisfeito com minha condição do que no momento em que planejava a fuga. A segunda semana se passou, e novamente levei para ele todo o meu salário; e ele ficou tão satisfeito que me deu vinte e cinco centavos (uma quantia bastante grande para um senhor dar a um escravo) e pediu que eu fizesse bom uso deles. Respondi que faria.

As coisas continuaram muito bem, mas por dentro havia problemas. É impossível descrever meus sentimentos à medida que se aproximava o momento da minha fuga idealizada. Eu tinha vários amigos de coração caloroso em Baltimore — amigos que amei quase tanto quanto minha própria vida — e a ideia de me separar deles para sempre era dolorosa além da expressão. É minha opinião que milhares de pessoas escapariam da escravidão, mas agora permanecem nela devido aos fortes laços de afeto que as unem aos amigos. A ideia de deixar meus amigos foi decididamente o pensamento mais doloroso com o qual tive que lidar. O amor deles era meu ponto fraco e abalou minha decisão mais do que todas as outras coisas.

Além da dor da separação, o pavor e a apreensão de um fracasso excederam o que eu havia experimentado na minha primeira tentativa. A terrível derrota que então sofri voltou a me atormentar. Tive certeza de que, se falhasse nessa tentativa, meu caso seria desesperador — selaria meu destino como escravo para sempre. Eu não podia esperar sair com nada menos que o castigo mais severo e ser afastado dos meios de fuga. Não era necessária uma imaginação muito vívida para descrever as cenas mais assustadoras pelas quais teria que passar, caso falhasse. A miséria da escravidão e a bênção da liberdade estavam perpetuamente diante de mim. Para mim, era vida ou morte.

Mas permaneci firme e, de acordo com minha resolução, no terceiro dia de setembro de 1838, deixei minhas correntes e consegui chegar a Nova York sem a menor interrupção de nenhuma espécie. Como fiz isso — de que maneira procedi —, em que direção viajei e por qual meio de transporte —, devo deixar sem explicação, pelas razões mencionadas anteriormente.

Muitas vezes me perguntam como me senti quando me encontrei em liberdade. Nunca fui capaz de responder à pergunta a mim mesmo com satisfação. Foi o momento de maior emoção que já experimentei. Suponho que senti como se pode imaginar que se sente o marinheiro desarmado quando é resgatado por um soldado amigável da perseguição de um pirata. Ao escrever para um amigo querido, imediatamente após minha chegada a Nova York, eu disse que me sentia como alguém que escapara de um covil de leões famintos. Esse estado de espírito, no entanto, logo desapareceu; e fui novamente tomado por um sentimento de grande insegurança e solidão. Eu ainda era suscetível a ser levado de volta e submetido a todas as torturas da escravidão. Isso por si só foi suficiente para atenuar o ardor do meu entusiasmo.

Mas a solidão me venceu. Lá estava eu no meio de milhares, e ainda assim um estranho perfeito; sem casa e sem amigos, no meio de milhares de meus próprios irmãos — filhos de um pai comum, e, no entanto, não me atrevi a revelar a nenhum deles minha triste condição. Eu tinha receio de falar com alguém por medo de falar com a pessoa errada e, assim, cair nas mãos de sequestradores amantes do dinheiro, cujo negócio era esperar o ofegante fugitivo, assim como as ferozes bestas da floresta à espera de suas presas. O lema que adotei quando saí da escravidão foi este: "Não confie em homem nenhum!". Via em todo branco um inimigo, e em quase todo negro motivo para desconfiança.

Foi uma situação muito dolorosa, e, para entendê-la, é preciso experimentá-la ou imaginar-se em circunstâncias semelhantes. Seja um escravo fugitivo em uma terra estranha — uma terra abandonada para ser um campo de caça para senhores de escravos — cujos habitantes são sequestradores legalizados, onde se está a todo momento sujeito à terrível possibilidade de ser apreendido por seus semelhantes, tal qual um crocodilo hediondo apreende sua presa! Digo, deixe-se colocar na minha situação — sem casa nem amigos, sem dinheiro nem crédito, querendo abrigo, e sem ninguém para dar; querendo pão, e sem dinheiro para comprá-lo; e, ao mesmo tempo, sinta que é perseguido por homens-caçadores impiedosos, e que está na escuridão total acerca do que fazer, para onde ir ou onde ficar —, perfeitamente desamparado, tanto quanto aos meios de defesa quanto aos meios de escapar; no meio da abundância, mas ainda sofrendo os terríveis tormentos da fome; no meio das casas, sem ter lar; entre os semelhantes, mas sentindo como se estivesse no meio de animais selvagens, cuja ganância de engolir o fugitivo trêmulo e meio faminto é igualada apenas àquela com a qual os monstros das profundezas engolem os peixes indefesos dos quais subsistem. Digo, deixe-se colocar nessa situação dificílima — a situação em que fui colocado —, então, e só então, você saberá plenamente das dificuldades e saberá se compadecer das roupas desgastadas e do escravo fugitivo marcado pelo chicote.

Graças a Deus, fiquei pouco tempo nessa situação angustiada. Fui aliviado pela mão gentil do sr. David Ruggles, cuja vigilância, bondade e perseverança nunca esquecerei. Fico feliz com a oportunidade de expressar, na medida do possível, o amor e a gratidão que tenho. O sr. Ruggles agora está afligido pela cegueira e precisa dos mesmos atos de bondade que antes tinha para com os outros. Eu já estava em Nova York havia alguns dias quando o sr. Ruggles me procurou e, muito gentilmente, me levou para a pensão na esquina das ruas Church e Lespenard. O sr. Ruggles estava então profundamente envolvido no memorável Caso Darg[18], além de atender a vários outros escravos fugitivos, inventando maneiras e meios para suas fugas bem-sucedidas; e, apesar de vigiado e cercado por quase todos os lados, parecia estar mais do que à altura de seus inimigos.

Logo depois que falei com o sr. Ruggles, ele quis saber de mim aonde eu queria ir, já que considerou inseguro que eu permanecesse em Nova York. Eu disse a ele que era calafetador e gostaria de ir aonde pudesse conseguir trabalho. Pensei em ir para o Canadá, mas ele decidiu contra, e a favor de eu ir para New Bedford, pensando que eu seria capaz de conseguir trabalho lá no meu ramo.

Nesse momento, Anna[19], minha futura esposa, chegou, pois escrevi para ela imediatamente após minha chegada a Nova York (apesar da minha condição de homem sem-teto e desamparado), informando-a da minha fuga bem-sucedida e desejando que ela viesse. Poucos dias depois de sua chegada, o sr. Ruggles chamou o reverendo J. W. C. Pennington, que, na presença do sr. Ruggles, da

18 Famoso caso em que Ruggles mediou a disputa entre Thomas Hughes e seu senhor, um homem da Virgínia chamado John P. Darg. [N. da T.]

19 Ela estava livre. [N. do A.]

sra. Michaels e de duas ou três outras pessoas, realizou a cerimônia de casamento e nos deu uma certidão, cuja cópia a seguir é exata:

Esta certidão garante que eu uni no santo matrimônio Frederick Johnson[20] *e Anna Murray, como marido e mulher, na presença do sr. David Ruggles e da sra. Michaels.*

JAMES W. C. PENNINGTON
Nova York, 15 de setembro de 1838.

Ao receber essa certidão, e uma nota de cinco dólares do sr. Ruggles, levei uma parte de nossa bagagem, e Anna pegou a outra, e partimos imediatamente para embarcar no barco a vapor John W. Richmond para Newport, a caminho de New Bedford. O sr. Ruggles me deu uma carta para o sr. Shaw em Newport e disse, caso meu dinheiro não me servisse em New Bedford, para parar em Newport e obter mais assistência; mas, ao chegarmos a Newport, estávamos tão ansiosos para ir a um local seguro que, apesar de não termos o dinheiro necessário para pagar nossa passagem, decidimos tomar assentos e prometer pagar quando chegássemos a New Bedford. Fomos incentivados a fazê-lo por dois excelentes senhores, residentes em New Bedford, cujos nomes depois constatei serem Joseph Ricketson e William C. Taber. Eles pareceram entender de uma só vez nossas circunstâncias, e nos deram tanta certeza de sua solidariedade que nos deixaram totalmente à vontade diante deles.Foi bom, de fato, encontrar esses amigos naquele momento.

Ao chegarmos a New Bedford, fomos direcionados para a casa do sr. Nathan Johnson, por quem fomos gentilmente recebidos e providos com hospitalidade. O sr. e a sra. Johnson demonstraram um profundo e animado interesse em nosso bem-estar. Eles se mostraram bastante dignos do nome de abolicionistas. Quando o

20 Eu havia mudado meu nome de Frederick Bailey para Frederick Johnson. [N. do A.]

condutor nos viu incapazes de pagar nossa passagem, ele ficou com nossa bagagem como garantia da dívida. Precisei apenas mencionar o fato ao sr. Johnson, e ele imediatamente adiantou o dinheiro.

Começávamos agora a sentir um certo grau de segurança e a nos preparar para os deveres e responsabilidades de uma vida de liberdade. Na manhã seguinte à nossa chegada a New Bedford, enquanto à mesa do café da manhã, surgiu a questão de por que nome eu deveria ser chamado. O nome que minha mãe me deu foi Frederick Augustus Washington Bailey. Eu, no entanto, havia dispensado os dois nomes do meio muito antes de deixar Maryland, de modo que geralmente era conhecido pelo nome de Frederick Bailey. Vim de Baltimore com o nome de Stanley. Quando cheguei a Nova York, mudei novamente meu nome para Frederick Johnson e pensei que seria a última mudança.

Mas, quando cheguei a New Bedford, achei necessário mudar novamente meu nome. A razão dessa necessidade era que havia tantos Johnsons em New Bedford, que já era bastante difícil distingui-los uns dos outros. Dei ao sr. Johnson o privilégio de me escolher um nome, mas disse a ele que não deveria me tirar o nome de Frederick. Eu me agarraria a ele, para preservar um senso de minha identidade. Johnson acabara de ler *The Lady of the Lake*[21] e imediatamente sugeriu que meu nome fosse Douglass. Desde então, fui chamado de Frederick Douglass; e, como sou mais conhecido por esse nome do que por qualquer um dos outros, continuarei a usá-lo como meu.

Fiquei bastante decepcionado com a aparência geral das coisas em New Bedford. A impressão que recebera a respeito do caráter e da condição do povo do Norte, achei singularmente errônea. Estranhamente, eu imaginara, durante a escravidão, que poucos confortos e quase nenhum luxo da vida estavam disponíveis no

21 The Lady of the Lake é um poema narrativo de Sir Walter Scott, publicado pela primeira vez em 1810. Uma de suas três tramas é a batalha para conquistar o amor de Ellen Douglas, personagem que inspirou o sobrenome de Douglass. [N. da T.]

Norte, em comparação com o que os senhores de escravos do Sul desfrutavam. Provavelmente cheguei a essa conclusão pelo fato de o povo do Norte não possuir escravos. Supunha que eles estivessem no mesmo nível da população não senhora de escravos do Sul. Sabia que eles eram extremamente pobres e estava acostumado a considerar sua pobreza como a consequência necessária de não serem escravistas. De alguma forma, havia absorvido a opinião de que, na ausência de escravos, não poderia haver riqueza e haveria muito pouco refinamento. E, ao chegar ao Norte, esperava encontrar uma população ríspida, rústica e sem cultura, vivendo da simplicidade mais espartana, sem conhecer a facilidade, o luxo, a pompa e a grandeza dos senhores de escravos do Sul.

Sendo essas minhas conjecturas, qualquer pessoa familiarizada com a aparência de New Bedford pode inferir prontamente com que facilidade devo ter visto meu erro.

Na tarde do dia em que cheguei a New Bedford, visitei os cais para ver as embarcações. Aqui me vi cercado pelas maiores provas de riqueza. Parados nos cais e singrando o rio, vi muitos navios do melhor modelo, da melhor ordem e do maior tamanho. À direita e à esquerda, eu estava cercado por armazéns de granito das dimensões mais amplas, arrumados ao máximo com as necessidades e confortos da vida. Além disso, quase todas as pessoas pareciam estar trabalhando, mas silenciosamente, em comparação com o que eu estava acostumado a ver em Baltimore. Não se ouviam canções altas dos envolvidos no carregamento e descarregamento de navios. Não ouvi pragas graves nem maldições terríveis sobre os trabalhadores. Não vi homens sendo açoitados; mas tudo parecia correr bem. Todos pareciam entender seu trabalho, e o faziam com uma seriedade sóbria, mas alegre, que demonstrava o profundo interesse que sentiam pelo que estavam fazendo, bem como um senso de sua própria dignidade como homens. Para mim, isso era extremamente estranho. Dos cais, passei por toda a cidade, contemplando com surpresa e admiração as esplêndidas igrejas, belas habitações e jardins

finamente cultivados, evidenciando uma quantidade de riqueza, conforto, bom gosto e refinamento como nunca havia visto em nenhuma parte da Maryland escravista.

Tudo parecia limpo, novo e bonito. Vi poucas ou nenhuma casa em ruínas, com moradores em situação de pobreza; nenhuma criança seminua e mulher descalça, como costumava ver em Hillsborough, Easton, St. Michaels e Baltimore. As pessoas pareciam mais capazes, mais fortes, mais saudáveis e mais felizes do que as de Maryland. Pela primeira vez, fiquei satisfeito com a visão de extrema riqueza, sem me entristecer ao ver extrema pobreza.

Mas a coisa mais surpreendente e interessante para mim era a condição das pessoas negras, muitas das quais, como eu, escaparam para lá em busca de um refúgio dos caçadores de homens. Encontrei muitas, que não estavam nem havia sete anos livres da escravidão, vivendo em casas mais refinadas e evidentemente desfrutando mais do conforto da vida do que a maioria dos senhores de escravos em Maryland. Atrevo-me a afirmar que meu amigo, o sr. Nathan Johnson (do qual posso dizer com um coração agradecido: "Eu estava com fome, e ele me deu carne; eu estava com sede, e ele me deu bebida; eu era um estranho, e ele me acolheu"[22]), morava em uma casa mais limpa, jantava em uma mesa melhor, pegava, pagava e lia mais jornais, e melhor entendia o caráter moral, religioso e político da nação do que nove décimos dos senhores de escravos no condado de Talbot, Maryland. No entanto, o sr. Johnson era um trabalhador. Suas mãos estavam endurecidas pelo trabalho, e não só as dele, mas também as da sra. Johnson.

Achei as pessoas negras muito mais animadas do que eu imaginava. Encontrei entre elas a determinação de proteger umas às outras do sequestrador sedento de sangue a todo o custo. Logo após minha chegada, fui informado de uma circunstância que ilustrava

---

22 Mateus 25:35. [N. da T.]

seus espíritos. Um homem negro e um escravo fugitivo estavam em uma relação hostil. Ouviu-se que o primeiro ameaçava ao segundo informar seu senhor sobre seu paradeiro. Imediatamente uma reunião foi convocada entre as pessoas negras, sob o aviso estereotipado: "Assunto importante!". O traidor foi convidado a participar. As pessoas vieram na hora marcada e organizaram a reunião, nomeando um velho cavalheiro muito religioso como presidente, que, creio, fez uma oração, após a qual ele se dirigiu à reunião da seguinte forma:

— Amigos, nós o trouxemos aqui, e eu recomendaria que vocês o levassem lá para fora e o matassem! — Com isso, vários deles dispararam contra o homem, mas foram interceptados por alguns mais receosos do que eles, e o traidor escapou da vingança, e não foi mais visto em New Bedford desde então. Acredito que não tenha havido mais ameaças e, se houver mais adiante, não duvido que a morte seja a consequência.

Arranjei um emprego no terceiro dia após a minha chegada, enchendo um saveiro com uma carga de óleo. Era um trabalho novo, sujo e difícil para mim, mas fui com o coração feliz e as mãos dispostas. Agora eu era meu próprio senhor. Foi um momento feliz, cujo arrebatamento só pode ser entendido por aqueles que foram escravos. Foi o primeiro trabalho cuja recompensa seria inteiramente minha. Não havia sr. Hugh pronto, no momento em que eu ganhasse o dinheiro, para me roubar.

Trabalhei naquele dia com um prazer que nunca havia experimentado. Estava trabalhando para mim e para minha esposa. Foi para mim o ponto de partida de uma nova existência. Quando terminei esse serviço, fui em busca de trabalho como calafetador; mas tal era a força do preconceito contra a cor, entre os brancos, que eles se recusavam a trabalhar comigo e, é claro, não consegui emprego[23].

23 Disseram-me que as pessoas de cor agora podem trabalhar na calafetagem em New Bedford — resultado de um esforço antiescravagista. [N. do A.]

Como meu ofício não trazia nenhum benefício imediato, dispensei minhas habilidades de calafetagem e me preparei para fazer qualquer tipo de trabalho que pudesse encontrar. O sr. Johnson gentilmente me deixou pegar seu cavalete de serrar e sua serra, e logo me vi com bastante trabalho. Não havia serviço pesado demais, nem sujo demais. Eu estava pronto para serrar madeira, escavar carvão, carregar madeira, varrer chaminés ou rolar barris de óleo — e tudo isso fiz por quase três anos em New Bedford, antes de me tornar conhecido pelo mundo abolicionista.

Cerca de quatro meses depois de eu ir para New Bedford, um jovem veio até mim e perguntou se eu não queria levar o *Liberator*[24]. Respondi que sim; mas, depois de ter escapado da escravidão, observei que naquele momento não conseguiria pagar. Eu, no entanto, logo me tornei assinante. O jornal chegou, e eu o li semana após semana com sentimentos que seriam bastante difíceis de descrever. O jornal se tornou minha carne e minha bebida. Minha alma foi incendiada. Sua solidariedade por meus irmãos acorrentados, suas denúncias contundentes aos senhores de escravos, suas exposições sobre a escravidão e seus poderosos ataques aos defensores dessa terrível instituição provocaram uma onda de alegria em minha alma, como nunca havia sentido antes!

Eu era um leitor do *Liberator* havia pouco tempo quando passei a ter uma ideia correta dos princípios, medidas e espírito da reforma abolicionista. Eu me agarrei à causa. Podia fazer pouco, mas o que pude, fiz com o coração alegre e nunca me senti mais feliz do que quando estava em uma reunião abolicionista. Raramente tinha muito a dizer nas reuniões, porque o que queria dizer era dito muito melhor por outras pessoas. Mas, enquanto participava de uma convenção contra a escravidão em Nantucket, em 11 de

24 O *Liberator* era um jornal semanal abolicionista, publicado em Boston por William Lloyd Garrison e Isaac Knapp. Mais religioso do que político, apelava à consciência moral de seus leitores, exortando-os a exigir a libertação imediata dos escravos. [N. da T.]

agosto de 1841, senti-me fortemente instigado a falar e, ao mesmo tempo, fui muito incentivado a fazê-lo pelo sr. William C. Coffin, um cavalheiro que havia me ouvido falar na reunião das pessoas negras em New Bedford.

Era uma cruz severa, e eu a peguei com relutância. A verdade é que me sentia escravo, e a ideia de falar com pessoas brancas me pesava. Falei apenas alguns momentos antes de sentir um certo grau de liberdade, e disse o que desejava com considerável facilidade. Desde então, tenho me empenhado em defender a causa de meus irmãos — com que sucesso e com que devoção, deixo os que conhecem meus trabalhos decidirem.

SOCIEDAD ABOLICI-
-ONISTA ESPAÑOLA

LA DISCU CUSION
PUERTO RICO
ABOLICION
NMEDIATA
DE LA
ESCLAVITUD

APÊNDICE

Acho que, desde que li a narrativa que escrevi, tenho falado, em muitas ocasiões, de certa maneira a respeito da religião que pode levar os que não estão familiarizados com minhas visões religiosas a supor-me um oponente de toda religião. Para remover os efeitos de tal má impressão, considero apropriado anexar a breve explicação a seguir.

O que eu disse a respeito e contra a religião, pretendo aplicar estritamente à *religião senhora de escravos* desta terra, e sem nenhuma referência possível ao cristianismo propriamente dito; pois, entre o cristianismo desta terra e o cristianismo de Cristo, reconheço a diferença mais ampla possível — tão ampla que, para receber um como bom, puro e santo, é necessário rejeitar o outro como mau, corrupto e perverso. Para ser amigo de um, é necessário ser inimigo do outro. Eu amo o cristianismo puro, pacífico e imparcial de Cristo: odeio, portanto, o cristianismo corrupto, detentor de escravos, açoitador de mulheres, ladrão de berços, parcial e hipócrita desta terra.

De fato, não vejo razão, senão a mais enganosa, para chamar a religião desta terra de cristianismo. Vejo esse como o ponto alto de todos os desonestos, a mais ousada de todas as fraudes e a mais grosseira de todas as calúnias. Nunca houve um caso mais claro de "roubar a libré[25] da corte do céu para servir ao diabo"[26]. Fico cheio de um ódio indizível quando contemplo a pompa religiosa e a ostentação, juntamente com as horríveis inconsistências que me cercam por todos os lados. Temos ladrões como ministros, açoitadores de mulheres como missionários e saqueadores de berços como membros da igreja. O homem que empunha o chicote coagulado durante a semana enche o púlpito no domingo e afirma ser um ministro do manso e humilde Jesus. O homem que me rouba meus ganhos no final de cada semana é encontrado como líder de classe no domingo de manhã, para me mostrar o modo de vida e o caminho da salvação. Quem vende minha irmã, para fins de prostituição, destaca-se como o piedoso defensor da pureza. Quem proclama como dever religioso ler a Bíblia me nega o direito de aprender a ler o nome do Deus que me criou. Aquele que é o defensor religioso do casamento rouba milhões de sua influência sagrada e os deixa à devastação da profanação por atacado. O defensor caloroso da sacralidade da relação familiar é o mesmo que dispersa famílias inteiras — separando maridos e esposas, pais e filhos, irmãs e irmãos —, deixando a cabana vazia e a lareira desolada. Vemos o ladrão pregando contra roubo e o adúltero contra o adultério. Temos homens vendidos para construir igrejas, mulheres vendidas para apoiar o evangelho e bebês vendidos para comprar Bíblias para *os pobres pagãos! Tudo pela glória de Deus e pelo bem das almas!* O sino do leiloeiro de escravos e o sino da igreja tocam um contra o outro, e os gritos amargos dos escravos de coração partido são afogados nos gritos religiosos de seu piedoso senhor.

25 Um tipo de capa usada pelos membros de confrarias quando participam de alguma função religiosa solene, e pelos membros de algumas cortes, no exercício de suas funções. [N. da T.]

26 Citando o poeta escocês Robert Pollock: "He was a man / Who stole the livery of the court of Heaven / To serve the Devil in." [N. da T.]

Os avivamentos da religião e os avivamentos no comércio de escravos andam de mãos dadas. A prisão de escravos e a igreja ficam próximas uma da outra. O barulho dos grilhões e o barulho das correntes na prisão, e o salmo piedoso e a oração solene na igreja podem ser ouvidos ao mesmo tempo. Os traficantes dos corpos e almas dos homens erguem sua posição na presença do púlpito e se ajudam mutuamente. O traficante dá seu ouro manchado de sangue para apoiar o púlpito, e o púlpito, em troca, cobre seus negócios infernais com as roupas do cristianismo. Aqui temos religião e roubo se aliando um ao outro — demônios vestidos com roupas de anjos e o inferno se apresentando com a aparência do paraíso.

Deus justo! E estes são eles,
Que ministram no vosso altar, Deus da bondade!
Homens cujas mãos, com oração e bênção, jazem
Na arca da luz de Israel.

O quê! Pregar e sequestrar homens?
Dar graças e roubar vossos pobres aflitos?
Falar da vossa liberdade gloriosa, e então
Fechar com força a porta do cativo?

O quê! Servos de vosso
Filho Misericordioso, que veio buscar e salvar
Os desabrigados e os párias, acorrentando
O escravo explorado e roubado!

Amigos de Pilatos e Herodes!
Sumos sacerdotes e governantes, desde a antiguidade, combinam-se!

Deus justo e santo! É essa igreja que empresta
Força para vossa escória?[27]

O cristianismo da América é um cristianismo de cujos devotos pode-se dizer verdadeiramente, assim como se disse sobre os escribas e fariseus da antiguidade:

Pois atam fardos pesados e difíceis de suportar, e os põem aos ombros dos homens; eles, porém, nem com seu dedo querem movê-los;

E fazem todas as obras a fim de serem vistos pelos homens; pois trazem largos filactérios, e alargam as franjas das suas vestes,

E amam os primeiros lugares nas ceias e as primeiras cadeiras nas sinagogas,

E as saudações nas praças, e o serem chamados pelos homens; Rabi, Rabi.

Vós, porém, não queirais ser chamados Rabi, porque um só é o vosso Mestre, a saber, o Cristo, e todos vós sois irmãos.

E a ninguém na terra chameis vosso pai, porque um só é o vosso Pai, o qual está nos céus.

Nem vos chameis mestres, porque um só é o vosso Mestre, que é o Cristo.

O maior dentre vós será vosso servo.

E o que a si mesmo se exaltar será humilhado; e o que a si mesmo se humilhar será exaltado.

27 Parte do poema *Clerical Oppressors*, de John Greenleaf Whittier. [N. da T.]

Mas ai de vós, escribas e fariseus, hipócritas! pois que fechais aos homens o reino dos céus; e nem vós entrais nem deixais entrar aos que estão entrando.

Ai de vós, escribas e fariseus, hipócritas! pois que devorais as casas das viúvas, sob pretexto de prolongadas orações; por isso sofrereis mais rigoroso juízo.

Ai de vós, escribas e fariseus, hipócritas! pois que percorreis o mar e a terra para fazer um prosélito; e, depois de o terdes feito, o fazeis filho do inferno duas vezes mais do que vós.

Ai de vós, condutores cegos! pois que dizeis: Qualquer que jurar pelo templo, isso nada é; mas o que jurar pelo ouro do templo, esse é devedor.

Insensatos e cegos! Pois qual é maior: o ouro, ou o templo, que santifica o ouro?

E aquele que jurar pelo altar isso nada é; mas aquele que jurar pela oferta que está sobre o altar, esse é devedor.

Insensatos e cegos! Pois qual é maior: a oferta, ou o altar, que santifica a oferta?

Portanto, o que jurar pelo altar, jura por ele e por tudo o que sobre ele está;

E, o que jurar pelo templo, jura por ele e por aquele que nele habita;

E, o que jurar pelo céu, jura pelo trono de Deus e por aquele que está assentado nele.

Ai de vós, escribas e fariseus, hipócritas! pois que dizimais a hortelã, o endro e o cominho, e desprezais o mais importante da lei, o juízo, a misericórdia e a fé; deveis, porém, fazer estas coisas, e não omitir aquelas.

Condutores cegos! que coais um mosquito e engolis um camelo.

Ai de vós, escribas e fariseus, hipócritas! pois que limpais o exterior do copo e do prato, mas o interior está cheio de rapina e de intemperança.

Fariseu cego! limpa primeiro o interior do copo e do prato, para que também o exterior fique limpo.

Ai de vós, escribas e fariseus, hipócritas! pois que sois semelhantes aos sepulcros caiados, que por fora realmente parecem formosos, mas interiormente estão cheios de ossos de mortos e de toda a imundícia.

Assim também vós exteriormente pareceis justos aos homens, mas interiormente estais cheios de hipocrisia e de iniquidade.[28]

Por mais sombria e terrível que seja essa passagem, considero que é estritamente verdadeira para a esmagadora massa de professos cristãos na América. Eles coam um mosquito e engolem um camelo[29]. Alguma coisa poderia ser mais verdadeira sobre nossas igrejas? Eles ficariam chocados com a proposta de se unir a um ladrão de ovelhas, e, ao mesmo tempo, abraçam à sua comunhão um ladrão de homens e me consideram infiel se eu os criticar por esse motivo. Observam com rigor farisaico as formas externas da religião e, ao mesmo tempo, negligenciam as questões mais pesadas da lei, julgamento, misericórdia e fé. Estão sempre prontos para sacrificar, mas raramente demonstram misericórdia. São eles que são representados como testemunhas do amor de um Deus a quem nunca viram, enquanto odeiam o irmão a quem estão sempre vendo. Amam os pagãos do outro lado do globo. Podem orar por eles, pagar dinheiro para colocar a Bíblia em suas mãos e missionários

28 Mateus 23: 4-28. [N. da T.]

29 Mateus 23: 24. [N. da T.]

para instruí-los, enquanto desprezam e negligenciam totalmente os pagãos que se encontram às suas próprias portas.

Essa é, muito brevemente, minha visão da religião desta terra; e para evitar qualquer mal-entendido, decorrente do uso de termos gerais, quero dizer que me refiro à religião desta terra que é revelada nas palavras, atos e ações desses corpos, no Norte e no Sul, chamados de igrejas cristãs, e mesmo assim ainda em união com os senhores de escravos. É contra a religião apresentada por esses órgãos que senti-me no dever de testemunhar.

Concluo estas observações copiando o seguinte retrato da religião do Sul (que é, por comunhão e associação, a religião do Norte), que, afirmo sobriamente, é realista e sem caricatura nem o menor exagero. Diz-se que foi escrito vários anos antes do início da atual agitação antiescravagista, por um pregador metodista do Norte, que, enquanto residia no Sul, teve a oportunidade de ver a moral, as maneiras e a piedade dos senhores de escravos com seus próprios olhos. "Porventura não castigaria eu por causa destas coisas? diz o Senhor. Não me vingaria eu de uma nação como esta?"[30]

Uma Paródia

Venham, santos e pecadores, me ouvir contar
Que devotos padres açoitam Jack e Nell
E compram mulheres e vendem crianças,
E proclamam todos os pecadores ao inferno,
E cantam sobre a união celestial.

Eles vão balir e balar, mas não gostam de cabras,
Vão devorar as ovelhas negras quando quiserem,
Colocar suas costas em finos casacos pretos,

30 Jeremias 5:29. [N. da T.]

E então segurar seus negros pelas gargantas,
E os estrangular, pela união celestial.

Eles vão te doutrinar se você tomar um gole de uísque,
E maldito seja, se você roubar um cordeiro;
No entanto, roubarão dos velhos Tony, Doll e Sam,
Os direitos humanos, e o pão e o presunto;
É do sequestrador a união celestial.

Vão falar em voz alta sobre a recompensa de Cristo,
E amarrar Sua imagem com um cordão,
E repreender, e balançar o chicote abominável,
E vender o irmão deles com a bênção do Senhor
Para algemar a união celestial.

Eles vão ler e cantar uma canção sagrada,
E fazer uma oração alta e longa,
E ensinar o certo e fazer o errado,
Saudando o irmão, irmã multidão,
Com palavras de união celestial.

Nós nos perguntamos como esses santos podem cantar,
Ou louvar ao Senhor em cima das asas,
Que rugem, repreendem, açoitam e picam,
E aos seus escravos e a Mamom se agarram,
Em união de consciência culpada.

Eles cultivam tabaco, milho e centeio,
E conduzem, e roubam, e enganam, e mentem,

E acumulam tesouros no céu,
Fazendo trocas e o chicote voar,
Na esperança da união celestial.

Eles vão quebrar o crânio do velho Tony,
E pregar e rugir como o touro de Basã,
Ou o burro que zurra, de travessuras cheio,
Então pegar o velho Jacob pela lã,
E puxar para a união celestial.

Um ladrão ruidoso, divagador e enganador,
Que vivia de carneiro, vitela e carne,
No entanto, nunca dava alívio
Aos filhos carentes e negros da dor,
Era grande com a união celestial.

"Não ameis o mundo", disse o pregador,
E piscou o olho e balançou a cabeça;
Ele agarrou Tom, Dick e Ned,
Encurtou sua carne, roupas e pão,
No entanto, ainda amava a união celestial.

Outro pregador choramingando falou
Daquele cujo coração pelos pecadores se partiu:
Amarrou a velha babá a um carvalho,
E tirou o sangue a cada golpe,
E orou pela união celestial.
Dois outros abriram suas mandíbulas de ferro,

E acenaram com as patas roubadoras de crianças;
Ali estavam os filhos a troco de nada;
Cortando as costas e as mandíbulas dos negros,
Eles mantiveram a união celestial.

Tudo o que há de bom de Jack outro leva,
E diverte seus flertes e libertinos,
Que se vestem tão elegantes quanto cobras brilhantes,
E amontoam suas bocas com bolos açucarados;
E aí está a união.

Sincera e ansiosamente esperando que este pequeno livro possa fazer algo para lançar luz sobre o sistema escravagista americano e acelerar o feliz dia da libertação para milhões de meus irmãos acorrentados — confiando fielmente no poder da verdade, do amor e da justiça, no sucesso de meus humildes esforços e solenemente comprometendo-me novamente com essa causa sagrada —, eu assino,

FREDERICK DOUGLASS,
Lynn, Massachusetts, 28 de abril de 1845.

POSFÁCIO

William Lloyd Garrison

Em agosto de 1841, estive numa convenção abolicionista em Nantucket, na qual tive o prazer de conhecer Frederick Douglass, autor desta narrativa. Ele era um estranho para quase todos no evento; mas, tendo recentemente escapado do reduto escravocrata sulista, e sentindo sua curiosidade atiçada a averiguar os princípios e medidas dos abolicionistas — dos quais ele ouvira apenas uma vaga descrição enquanto era escravo —, ele foi induzido a participar, ainda que naquele tempo residisse em New Bedford.

Foi o mais afortunado acontecimento! Afortunado para os milhões de seus irmãos algemados e ansiosos pela libertação da terrível escravidão! Afortunado para a causa da emancipação dos negros e da liberdade universal! Afortunado para a terra em que Douglass nasceu e muito já fez para salvar e abençoar! Afortunado para um grande círculo de amigos e conhecidos, cuja simpatia e afeto ele firmemente garantiu pelos muitos sofrimentos que aguentou, por seus traços virtuosos de caráter, por sua lembrança sempre permanente daqueles que estão nas amarras, por estar ligado a eles! Afortunado para as multidões, em várias partes de nossa república, cujas mentes ele iluminou a respeito da escravidão e que foram levadas às lágrimas por seu *pathos* ou despertadas à indignação virtuosa por sua agitada eloquência contra os escravizadores dos homens! Afortunado para ele mesmo, pois ao mesmo tempo em que o trouxe ao campo da utilidade pública, "deu ao mundo a certeza de um HOMEM"[31], acelerou as energias adormecidas de sua alma e consagrou-o à grande missão de quebrar o bastão do opressor e de libertar os oprimidos!

Nunca poderei me esquecer de seu primeiro discurso na convenção — a extraordinária emoção que acendeu em minha mente, a poderosa impressão que criou no auditório lotado, totalmente pego de surpresa, o aplauso que acompanhou do início ao fim suas pertinentes observações. Acho que nunca odiei a escravidão tão intensamente quanto naquele momento. Decerto minha percepção do enorme ultraje infligido por ela sobre a natureza divina de suas vítimas ficou mais clara do que nunca.

Lá estava um homem, de proporção física e estatura dominantes e exatas, de intelecto ricamente dotado, de eloquência natural e prodigiosa, de alma evidentemente feita "um pouco menor do que os anjos[32]", mas ainda assim um escravo. Sim, um escravo fugitivo, temendo por sua segurança, mal se atrevendo a acreditar que, em solo americano, pudesse encontrar um homem branco que fosse amigo o suficiente para enfrentar com ele todos os perigos, por Deus e pela humanidade! Mesmo capaz de altas realizações como ser intelectual e moral — necessitando apenas

31 *Hamlet*, ato 3, cena 4. [N. da T.]

32 Hebreus 2:7. [N. da T.]

de uma quantidade relativamente pequena de refinamento para torná-lo um adorno para a sociedade e uma bênção para sua raça —, pela lei da terra, pela voz do povo, pelos termos do código escravagista, ele era apenas um item de propriedade, um animal de carga, uma posse pessoal!

Um amigo querido de New Bedford convenceu o sr. Douglass a discursar na convenção. Ele se aproximou do palco com hesitação e vergonha, elementos comuns a uma mente sensível em uma posição tão nova. Depois de pedir desculpas por sua ignorância e lembrar à plateia que a escravidão era uma escola pobre para o intelecto e o coração humanos, ele começou a narrar alguns dos fatos de sua própria história como escravo, e no decorrer de seu discurso proferiu declarações sobre muitos pensamentos nobres e reflexões emocionantes.

Assim que ele se sentou, cheio de esperança e admiração, levantei-me e declarei que Patrick Henry, dono de uma fama revolucionária, nunca fizera um discurso mais eloquente pela causa da liberdade do que aquele que acabávamos de ouvir dos lábios daquele fugitivo caçado. Assim eu pensava naquela época — e assim penso até hoje. Lembrei à plateia o perigo que cercava aquele jovem autoemancipado no Norte — mesmo em Massachusetts, no solo dos pais peregrinos, entre os descendentes de pais revolucionários; e lhes perguntei se permitiriam que ele fosse levado de volta à escravidão — pela lei ou sem ela, pela constituição ou por nenhuma constituição. A resposta foi um unânime e gutural "NÃO!".

— Vocês vão socorrê-lo e protegê-lo como um irmão residente no antigo Bay State[33]?

33 Massachusetts. [N. da T.]

— SIM! — gritou toda a multidão, com uma energia tão surpreendente que os tiranos cruéis ao sul da Linha Mason-Dixon[34] devem ter quase ouvido a poderosa explosão de sentimentos, e a reconheceram como o compromisso de uma determinação invencível por parte daqueles que a deram: nunca trair aquele que vagueia, mas esconder os marginalizados e suportar com firmeza as consequências.

Fiquei profundamente impressionado ao pensar que, se o sr. Douglass pudesse ser persuadido a consagrar seu tempo e talento a promover a causa abolicionista, um forte impulso seria dado a ela e, ao mesmo tempo, um tremendo golpe seria infligido no preconceito que o Norte tem contra os negros. Por isso, esforcei-me para instilar esperança e coragem em sua mente, a fim de que ele ousasse se envolver em uma vocação tão anômala e de alta responsabilidade para uma pessoa em sua situação; e fui apoiado nesse esforço por amigos de coração caloroso, especialmente pelo falecido agente geral da Sociedade Abolicionista de Massachusetts, o sr. John A. Collins, cujo julgamento nesse caso coincidiu inteiramente com o meu.

A princípio, ele não pôde fornecer nenhum incentivo; com indiferença fingida, expressou sua convicção de que não era adequado para a realização de uma tarefa tão grande. O caminho marcado era totalmente desconhecido; ele estava sinceramente apreensivo ao pensar que faria mais mal do que bem. Depois de muita deliberação, no entanto, ele consentiu em fazer uma tentativa; e, desde esse período, atua como palestrante, sob os auspícios da

34 A Linha Mason–Dixon é um limite de demarcação entre a Pensilvânia, Virgínia Ocidental, Delaware e Maryland. Depois de a Pensilvânia ter começado a abolir a escravatura em 1781, a parte oeste dessa linha e o rio Ohio tornaram-se a fronteira entre os estados escravagistas e os abolicionistas (Delaware permaneceu como estado escravagista). [N. da T.]

Sociedade Abolicionista Americana ou da Sociedade Abolicionista de Massachusetts.

Nas obras, ele tem sido mais prolífico, e seu sucesso no combate ao preconceito, na obtenção de aliados, na agitação da mente do público superou em muito as expectativas mais sérias que foram levantadas no início de sua brilhante carreira. Ele se comportou com mansidão e brandura, mas com verdadeira masculinidade de caráter. Como orador público, ele se destaca em *pathos*, sagacidade, diferenciação, imitação, força de raciocínio e fluência de linguagem. Existe nele a união da cabeça e do coração, indispensável à iluminação das cabeças e à conquista dos corações dos outros.

Que sua força continue igual até a sua morte! Que ele continue a "crescer na graça e no conhecimento de Deus"[35], para que possa ser cada vez mais útil à causa da humanidade que sangra, seja em casa ou no exterior!

Certamente é um fato muito notável que um dos defensores mais eficientes da população escrava, agora perante o público, seja Frederick Douglass, escravo fugitivo; e que a população negra livre dos Estados Unidos seja tão habilmente representada por um de seus próprios, na pessoa de Charles Lenox Remond, cujos apelos eloquentes conquistaram os mais altos aplausos das multidões de ambos os lados do Atlântico. Que os caluniadores dos negros se desprezem por sua baixeza e iliberalidade de espírito e, a partir de agora, deixem de falar da inferioridade natural daqueles que não precisam de nada além de tempo e oportunidade para atingir o ponto mais alto da excelência humana.

Talvez se possa questionar se alguma outra parte da população da Terra poderia ter sofrido as privações, sofrimentos e horrores da escravidão sem ter se tornado mais degradada na escala da

35 2 Pedro 3:18. [N. da T.]

humanidade do que os escravos de ascendência africana. Nada se poupou para aleijar seus intelectos, enevoar suas mentes, degradar sua natureza moral, obliterar todos os traços de seu relacionamento com a humanidade; e, no entanto, quão maravilhosamente eles suportaram o intenso peso da escravidão mais assustadora, sob a qual estão gemendo há séculos!

Para ilustrar o efeito da escravidão no homem branco — para mostrar que ele não tem poderes de resistência, em tal condição, superiores aos de seu irmão negro —, Daniel O'Connell, distinto defensor da emancipação universal e o mais poderoso promotor da prostrada mas não conquistada Irlanda, relata a seguinte história em um discurso proferido por ele no Conciliation Hall, em Dublin, perante a Loyal National Repeal Association, em 31 de março de 1845. "Não importa", disse O'Connell, "sob que termo ilusório ela possa se disfarçar, a escravidão ainda é hedionda. Tem uma tendência natural e inevitável a brutalizar todas as nobres faculdades humanas. Um marinheiro americano, que naufragou na costa da África, onde foi mantido em escravidão por três anos, foi, ao término desse período, considerado animalesco e inválido — ele havia perdido todo o poder de raciocínio; e, esquecendo sua língua nativa, só conseguia pronunciar alguma bobagem entre árabe e inglês, que ninguém podia entender e que ele mesmo encontrava dificuldade em pronunciar!" Admitir que esse foi um caso extraordinário de deterioração mental prova pelo menos que o escravo branco pode afundar tanto na escala da humanidade quanto o escravo negro.

O sr. Douglass escolheu sabiamente escrever sua própria narrativa, em seu próprio estilo e de acordo com suas melhores habilidades, em vez de empregar alguém para fazê-lo. Esta é, portanto, produção inteiramente sua; e, considerando quão longa e triste foi sua vida como escravo — quão poucas foram suas oportunidades de aprimorar seu intelecto desde que ele se libertou dos grilhões de ferro —, é, em meu julgamento, altamente honrosa a sua cabeça e a seu coração. Aquele que conseguir examiná-la sem lágrimas nos olhos, sem sentir um peso no peito e o ânimo aflito — sem ser tomado por uma aversão indescritível à escravidão e a todos os seus cúmplices, e animado pela determinação de buscar a derrubada imediata desse sistema execrável —, sem temer pelo destino deste país nas mãos de um Deus justo, que está sempre do lado dos oprimidos e cujo braço não está impossibilitado de oferecer ajuda — deve ter um coração insensível e estar qualificado para desempenhar o papel de comerciante de "corpos e almas de homens"[36].

Estou confiante de que é essencialmente verdade em todas as suas declarações que nada foi estabelecido na malícia, nada foi exagerado, nada foi extraído da imaginação, que fica aquém da realidade, para mostrar a escravidão exatamente como ela é. A experiência de Frederick Douglass como escravo não foi peculiar; sua sina não foi especialmente difícil. Seu caso pode ser considerado um exemplo muito justo do tratamento de escravos em Maryland, no qual o Estado reconhece que eles são melhor alimentados e tratados com menos crueldade do que na Geórgia, Alabama ou Louisiana. Muitos sofreram incomparavelmente mais, enquanto alguns nas plantações sofreram menos do que ele próprio.

No entanto, quão deplorável era sua situação! Que terríveis castigos foram infligidos a sua pessoa! Que ofensas ainda mais chocantes foram cometidas contra sua mente! Com todos os seus nobres poderes e sublimes aspirações, como pôde ser tratado como bruto, mesmo por aqueles que professavam ter a mesma opinião que Cristo Jesus?! A que terríveis responsabilidades foi continuamente submetido! Quão destituído foi de conselhos e

36 Apocalipse 18:13. [N. da T.]

ajuda, mesmo em suas maiores dificuldades! Quão pesada foi a madrugada de angústia que encobriu de escuridão o último raio de esperança e encheu seu futuro de terror e melancolia! Que anseios, depois da liberdade, tomaram posse de seu peito e como sua tristeza aumentou, na proporção em que ele se tornou reflexivo e inteligente — demonstrando que um escravo feliz é um homem extinto! Como ele pensava, raciocinava, sentia-se sob o chicote do feitor e com as correntes prendendo seus membros?! Que perigos encontrou em seus esforços para escapar de sua terrível desgraça! E quão significativa tem sido sua libertação e preservação no meio de uma nação de inimigos impiedosos!

Esta narrativa contém muitos episódios comoventes, muitas passagens de grande eloquência e poder; porém, creio que o mais emocionante de tudo é a descrição que Douglass fornece acerca de seus sentimentos, enquanto ele, em seu monólogo, pensava em seu destino e suas chances de um dia se tornar um homem livre, nas margens da Baía de Chesapeake — vendo os navios que se afastavam enquanto voavam com suas asas brancas diante da brisa, interpelando-as como animadas pelo espírito vivo da liberdade. Quem pode ler tal passagem e ser insensível a seu *pathos* e sua sublimidade? Dentro dela há toda uma biblioteca alexandrina de pensamentos, sensibilidade e sentimentos — tudo o que pode, tudo o que é necessário instar, sob a forma de exposição, petição, repreensão contra o crime dos crimes — tornar o homem a propriedade de outro homem!

Oh, quão maldito é esse sistema, que sepulta a mente divina do homem, desfigura a imagem divina, reduz aqueles que pela Criação foram coroados de glória e honra ao nível de bestas de quatro patas, e exaltam o traficante de carne humana acima de tudo o que se chama Deus! Por que sua existência deve ser prolongada? Não é ela o mal e apenas o mal? O que sua presença implica senão a ausência de todo temor a Deus, toda desconsideração pelo homem, por parte do povo dos Estados Unidos? O céu acelera sua eterna derrubada!

Muitas pessoas são tão profundamente ignorantes da natureza da escravidão que permanecem teimosamente incrédulas sempre que leem ou ouvem qualquer recital das crueldades que diariamente são infligidas a suas vítimas. Elas não negam que os escravos sejam mantidos como propriedade; mas esse fato terrível não parece transmitir à mente delas nenhuma ideia de injustiça, nenhuma exposição ao atentado ou à barbárie selvagem. Conte-lhes sobre flagelos cruéis, mutilações e marcas a ferro, cenas de profanação e sangue, do banimento de toda luz e conhecimento, e elas se indignam diante de tais enormes exageros, distorções exacerbadas, difamações abomináveis sobre o caráter dos fazendeiros do Sul! Como se todas essas ofensas terríveis não fossem os resultados naturais da escravidão! Como se fosse menos cruel reduzir um ser humano à condição de coisa do que dar-lhe uma flagelação severa ou privá-lo da comida e roupa necessárias! Como se chicotes, correntes, esmaga-polegares, cães de caça, capatazes, feitores e patrulhas não fossem todos indispensáveis para manter os escravos abatidos e proteger seus implacáveis opressores! Como se, quando a instituição do casamento fosse abolida, o concubinato, o adultério e o incesto não fossem necessariamente abundantes. Quando todos os direitos da humanidade são aniquilados, não resta nenhuma barreira para proteger a vítima da fúria; quando o poder absoluto é assumido acima da vida e da liberdade, é exercido com influência destrutiva!

Céticos desse caráter são abundantes na sociedade. Em alguns poucos casos, sua incredulidade surge da falta de reflexão; mas, geralmente, indica um ódio à luz, um desejo de proteger a escravidão dos ataques de seus inimigos, um desprezo pela raça negra, seja ela livre ou não. Tais pessoas tentarão desacreditar os relatos chocantes da crueldade dos senhores de escravos que são registrados nesta narrativa verdadeira, mas elas trabalharão em vão. O sr. Douglass divulgou francamente o local de seu nascimento, os nomes daqueles que reivindicaram a propriedade de seu corpo e alma e os nomes também daqueles que cometeram os crimes que ele alegou contra eles. Suas declarações, portanto, podem ser facilmente refutadas, se forem falsas.

No decorrer de sua narrativa, Douglass relata dois casos de hedionda crueldade — em um dos quais um fazendeiro deliberadamente matou um escravo pertencente a uma plantação vizinha, que sem querer havia entrado em seu domínio nobre em busca de peixes; e no outro, um feitor arrebentou a cabeça de um escravo que havia fugido para um curso de água a fim de escapar de uma flagelação sangrenta. Douglass afirma que, em nenhum desses casos, nada foi feito por meio de prisão legal ou investigação judicial. O jornal *The Baltimore American*, de 17 de março de 1845, relata um caso semelhante de atrocidade, perpetrado com a mesma impunidade, como segue:

> *ATIRANDO EM UM ESCRAVO.*
>
> *Descobrimos, sob a autoridade de uma carta do condado de Charles, Maryland, recebida por um cavalheiro desta cidade, que um jovem chamado Matthews, sobrinho do general Matthews, e cujo pai, acredita-se, ocupa um escritório em Washington, matou um dos escravos na fazenda de seu pai com um tiro. A carta afirma que o jovem Matthews ficara encarregado da fazenda e que dera uma ordem ao escravo, que a desobedeceu. Matthews foi para a casa, pegou uma arma e, ao voltar, atirou no escravo. Fugiu para a residência de seu pai, onde permanece tranquilamente.*

Que nunca seja esquecido que nenhum senhor de escravos ou feitor pode ser condenado por nenhuma ofensa acometida contra a pessoa de um escravo, por mais diabólica que seja, com o testemunho de pessoas negras, escravas ou livres. Pelo código escravagista, elas são consideradas inaptas a testemunhar contra um homem branco, como se realmente não passassem de criaturas brutas. Portanto, de fato, não existe proteção legal, seja qual for a forma, para a população escrava; e qualquer quantidade de crueldade pode ser infligida a eles impunemente. É possível para a mente humana conceber a sociedade num estado mais horrível?

O efeito de um ofício religioso sobre a conduta dos poderosos do Sul é vividamente descrito na narrativa e demonstra ser qualquer coisa, exceto benéfico. Na natureza do caso, ele deve ser do mais alto grau de fatalidade. O testemunho do sr. Douglass, nesse ponto, é apoiado por uma nuvem de testemunhas, cuja veracidade é incomparável. "A posição cristã de um senhor de escravos é uma impostura palpável. Ele é um criminoso do mais alto grau. É um ladrão de homens. Não tem importância o que você coloca no outro lado da balança."

Leitor! Você está com os ladrões de homens em solidariedade e propósito, ou do lado de suas vítimas oprimidas? Se com os primeiros, você é o inimigo de Deus e do homem. Se com as últimas, o que está preparado para fazer e ousar em favor delas? Seja fiel, vigilante, seja incansável em seus esforços para romper todo jugo e deixe os oprimidos se libertarem. Faça o que puder, custe o que custar. Escreva na bandeira que você abre ao vento o seu lema religioso e político: "NADA DE APOIO À ESCRAVIDÃO! NADA DE UNIÃO COM OS SENHORES DE ESCRAVOS!".

WILLIAM LLOYD GARRISON
Boston, 1º de maio de 1845.

CARTA

escrita por Wendell Phillips, advogado
Boston, 22 de Abril de 1845

Meu caro amigo,

Você deve se lembrar da antiga fábula do Esopo, *O Homem e o Leão*, na qual o leão dizia que sua imagem não seria deturpada "quando os leões escrevessem a história".

É com alegria que digo que chegou o momento em que os "leões escrevem a história". Tivemos tempo o bastante para reunir as características da escravidão através de sua relação com a involuntária evidência de seus adeptos. Pode-se ficar suficientemente satisfeito com o que devem ser os resultados, sem procurar descobrir se tal relação permeou todos os casos. De fato, aqueles que ganham meio bocado de milho por semana e amam contar as marcas de chicote nas costas dos escravos raramente são o "material" do qual os partidários da reforma e os abolicionistas são feitos. Lembro-me de que, em 1838, muitos aguardavam os resultados do experimento nas Índias Ocidentais[37] antes de poderem entrar em nossa categoria. Esses "resultados" chegaram há muito tempo; mas infelizmente poucos deles vieram como convertidos. Um homem deve estar disposto a julgar a abolição por outros meios além de se aumenta ou não a produção de açúcar, e odiar a escravidão por outras razões que não sejam o fato de que ela mata homens de fome e açoita mulheres, antes de estar pronto para iniciar na vida abolicionista.

Fiquei feliz em saber, em sua história, quão cedo os filhos mais negligenciados de Deus despertaram para a noção de seus direitos e da injustiça pela qual passaram. A experiência é uma professora severa, e, muito antes de dominar o alfabeto ou saber onde os "veleiros brancos" de Chesapeake estavam amarrados, você começou a entender a miséria do escravo, não por sua fome e anseios, nem por seus açoitamentos e labuta, mas pela morte cruel e maldita que paira sobre sua alma.

Em relação a isso, há uma circunstância que torna suas lembranças particularmente valiosas e sua percepção inicial ainda mais notável. Você vem daquela parte do país onde nos dizem que a escravidão aparece com suas características mais justas. Vamos ouvir, então, quais são suas melhores circunstâncias — olhar o lado positivo, se houver algum; e então a imaginação pode encarregar seus poderes de adicionar linhas escuras à história, enquanto ela viaja para o Sul, para aquele (para o homem negro) Vale da Sombra da Morte, onde o Mississippi se encontra.

Reitero que conhecemos você há muito tempo e podemos confiar em toda a sua verdade, honestidade e sinceridade. Todo mundo que ouviu você falar ficou e, estou confiante, todos que lerem seu livro ficarão convencidos de que você lhes dá um exemplo justo de toda a verdade. Não pode haver nenhum retrato unilateral — nenhuma queixa generalizada —, mas sim uma rigorosa justiça sempre que a bondade individual neutraliza, por um momento, o sistema mortal com o qual estranhamente se alia. Você também está conosco há alguns anos e pode comparar de maneira justa o crepúsculo de direitos de que os negros desfrutam no Norte com a meia-noite sob a qual eles trabalham ao sul da Linha Mason-Dixon. Diga-nos se, afinal de contas, o homem negro semilivre de Massachusetts está em pior situação do que o escravo dos pântanos de arroz!

Frederick Douglass com seu neto, Joseph Douglass, na década de 1890.

Ao ler sua vida, ninguém pode dizer que escolhemos injustamente alguns raros exemplos de crueldade. Sabemos que as gotas amargas que você experimentou não são agravantes incidentais, nem males individuais, mas que estão sempre presentes no destino de todo escravo. São os ingredientes essenciais, e não os resultados ocasionais, do sistema.

Lerei seu livro temendo por você. Alguns anos atrás, quando você estava começando a me dizer seu nome verdadeiro e local de nascimento, deve se lembrar de que eu o interrompi e preferi continuar ignorante sobre a questão. Com exceção de uma descrição vaga, assim continuei, até o outro dia, quando você me leu suas memórias. Eu mal sabia, na época, se deveria agradecer ou não pela visão delas, quando refleti que ainda era perigoso, em Massachusetts, que homens honestos dissessem seus nomes!

Dizem que os pais fundadores, em 1776, assinaram a Declaração da Independência Americana com a corda no pescoço. Você também publica sua declaração de liberdade cercado de perigo. Em todas as vastas terras que a Constituição dos Estados Unidos cobre, não existe um único local, por mais estreito ou desolado que seja, em que um escravo fugitivo possa ficar e dizer: "Estou seguro". Todo o arsenal das leis do Norte não pode protegê-lo.

Você, talvez, possa contar sua história em segurança, amado como é por muitos corações calorosos que têm habilidades raras e uma devoção ainda mais rara ao servir aos outros. Mas será devido apenas ao seu trabalho e aos destemidos esforços daqueles que, mantendo as leis e a Constituição do país sob seus pés, estão determinados a "esconder os marginalizados" e fazer de seus lares, apesar da lei, um refúgio para os oprimidos, se, em algum momento ou outro, o mais humilde puder permanecer em nossas ruas e testemunhar em segurança contra as crueldades das quais foi vítima.

No entanto, é triste pensar que esses corações muito palpitantes que acolhem sua história e formam sua melhor proteção ao narrá-la estão todos batendo "contrários à forma do estatuto"[38]. Continue, meu querido amigo, até que você e aqueles que, como você, foram salvos da prisão escura eternizem esses pulsos livres e ilegais em estatutos; e a Nova Inglaterra, libertando-se de uma União manchada de sangue, se orgulhe de ser a casa de refúgio para os oprimidos — até que não apenas "*escondamos* os marginalizados" ou tenhamos o mérito de ficar ociosos enquanto eles são caçados em nosso meio; mas, consagrando de novo o solo dos peregrinos como um refúgio para os oprimidos, proclamemos nossas boas-vindas aos escravos em voz tão alta que os sons atinjam todas as cabanas das Carolinas e façam com que o escravo de coração partido se levante ao pensar na velha Massachusetts.

Deus o abençoe!
Até mais, e sempre,
Sinceramente,
WENDELL PHILLIPS

FREDERICK DOUGLASS

Biografia pós-publicação

Frederick Douglass nasceu como escravo com o nome de Frederick Augustus Washington Bailey, perto de Easton, no condado de Talbot, Maryland. Ele não tinha certeza do ano exato de seu nascimento, mas sabia ser 1817 ou 1818. Ainda menino, foi enviado a Baltimore para trabalhar dentro de uma casa, onde aprendeu a ler e a escrever com a ajuda da esposa de seu senhor. Em 1838, Frederick escapou da escravidão e foi para a cidade de Nova York, onde se casou com Anna Murray, uma mulher negra e livre que ele conhecera em Baltimore. Pouco depois, trocou seu sobrenome para Douglass. Em 1841, compareceu a uma convenção na Sociedade Abolicionista de Massachusetts em Nantucket e impressionou tanto o grupo que imediatamente o empregaram como representante. Era um palestrante tão impressionante que muitas pessoas duvidavam que algum dia ele fora escravo; então, escreveu sua primeira autobiografia. Durante a Guerra Civil Americana, Douglass ajudou no recrutamento de homens negros para o 54º e o 55º regimentos de Massachusetts e consistentemente argumentou a favor da libertação dos escravos. Depois da guerra, continuou ativo na proteção e garantia dos direitos dos homens livres. Em seus últimos anos, durante épocas diferentes, foi secretário da Comissão de Santo Domingo, marechal e oficial de registros do Distrito de Colúmbia e representante diplomático dos Estados Unidos no Haiti. Suas outras autobiografias são *My Bondage and My Freedom* e *Life and Times of Frederick Douglass*, publicadas em 1855 e 1881, respectivamente, ainda sem tradução no Brasil. Douglass faleceu em 1895.

Ao lado: *Pintura de Frederick Douglass de 1844, anteriormente creditada a Elisha Livermore Hammond. National Portrait Gallery, Smithsonian Institution*

A WISH E O RESGATE DOS LIVROS RAROS

Conteúdo institucional

A publicação de obras raras e inéditas pela Editora Wish acontece desde o nosso primeiro lançamento, com contos de fadas que nunca tinham sido traduzidos para a língua portuguesa. Acabamos, com o tempo, nos apaixonando cada vez mais pelo passado e seus tesouros escondidos. Enquanto clássicos criam gerações de leitores ao longo das décadas, os raros e inéditos mantém aceso o fogo da curiosidade sobre o que é diferente do comum. Afinal, quais livros eram lidos e apreciados pelos nossos antepassados? Quais tipos de obras deslumbrantes ou estranhas eles tinham em suas bibliotecas particulares?

A literatura rara e inédita leva a mente para fora do escopo do comum, e direciona nossas lunetas para estrelas nunca antes vistas... Ou quase esquecidas.

A Wish tem o prazer de publicar livros antigos de qualidade e com traduções realizadas pelos melhores profissionais, envelopados em projetos gráficos belos e atuais para agraciar as estantes dos leitores. São presentes para a imaginação repletos de entretenimento e recordações de épocas que não vivemos – mas que podemos frequentar através de incríveis personagens e personalidades.

EQUIPE WISH

Este livro foi composto na fonte
Crimson Text e impresso em papel
pólen bold 90g/m² de reflorestamento.

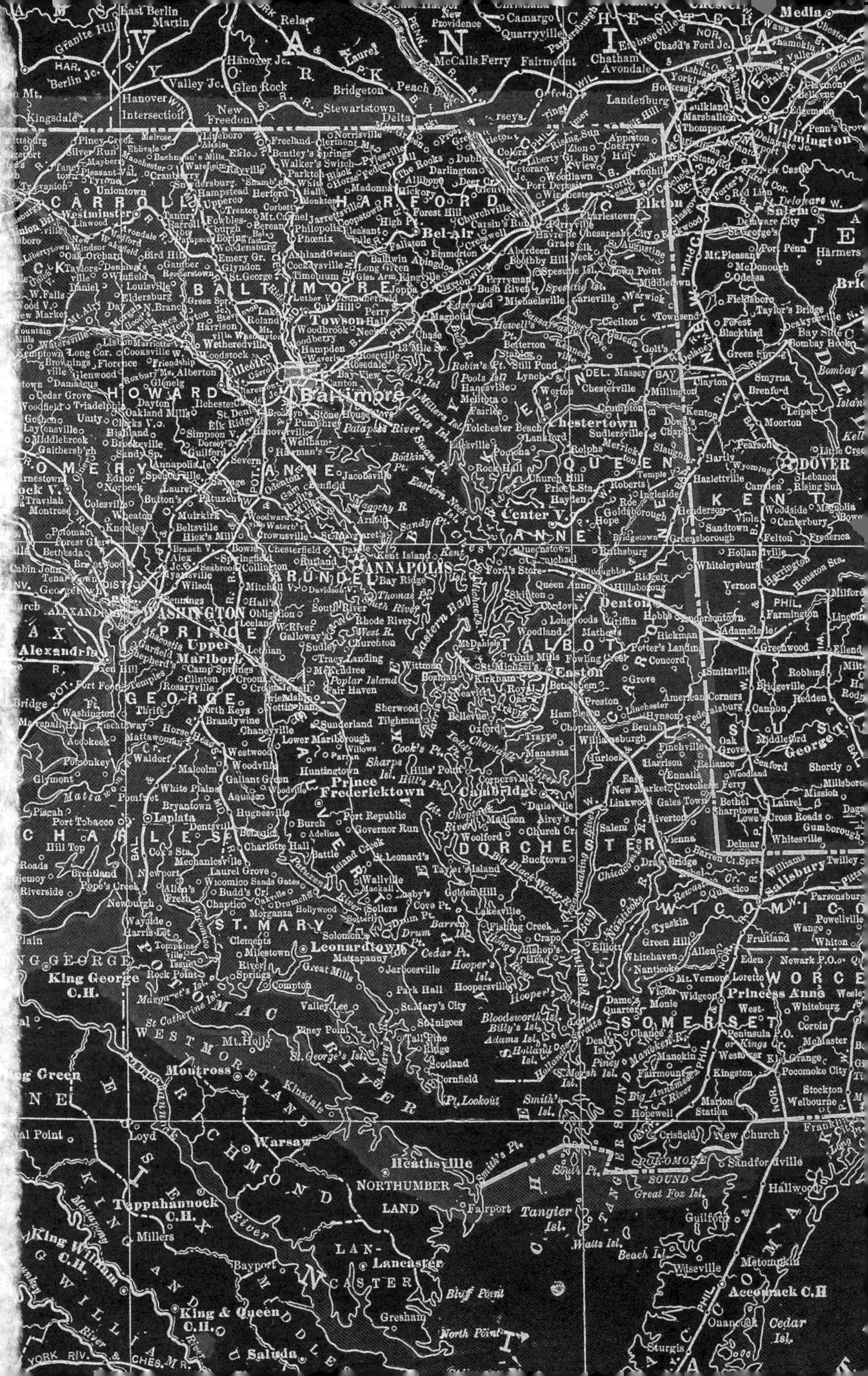

East Berlin
Martin
Granite Hill
Berlin Jc.
Hanover Jc.
Glen Rock
Valley Jc.
Hanover
Intersection
New Freedom
Kingsdale
Stewartstown
Delta
Bridgeton
Peach Bottom
McCalls Ferry
Fairmount
New Providence
Camargo
Quarryville
Chatham
Avondale
Landenburg
Oxford
Media
Chester
Chadd's Ford Jc.
Hockessin
Faulkland
Marshallton
Wilmington
Delaware Jc.
Newport
New Castle
Penn's Grove
Piney Creek
Silver Run
Taneytown
Uniontown
Melrose
Lineboro
Manchester
Hampstead
Westminster
CARROLL
Freeland
Bentley's Springs
Parkton
Norrisville
Pylesville
Federal Hill
The Rocks
Darlington
Dublin
Rising Sun
Colora
Conowingo
Port Deposit
Woodlawn
Elkton
HARFORD
Forest Hill
Churchville
Bel-Air
Havre de Grace
Perryville
Charlestown
Chesapeake City
Glasgow
Porter's
Bear
Red Lion
Delaware City
St. George's
Salem
Westminster
Sykesville
Eldersburg
Mt. Airy
BALTIMORE
Towson
Cockeysville
Timonium
Phoenix
Joppa
Aberdeen
Perryman
Bush River
Edgewood
Magnolia
Chase
Middletown
Odessa
Townsend
Warwick
Cecilton
Galena
Smyrna
Fieldsboro
Blackbird
Taylor's Bridge
Ellicott City
HOWARD
Baltimore
Catonsville
Waverly
Canton
Bay View
Dayton
Clarksville
Highland
Laurel
Savage
Jessups
Annapolis Jc.
Glenburnie
Pasadena
Patapsco River
Tolchester Beach
Chestertown
Millington
Massey
Kenton
Clayton
Cheswold
Dover
QUEEN ANNE
Centreville
ANNE ARUNDEL
Odenton
Gambrills
Millersville
Severn
Magothy R.
Sandy Pt.
KENT
Harrington
Hollandsville
Felton
Frederica
ANNAPOLIS
Kent Island
Bay Ridge
Thomas Pt.
South River
Rhode River
West R.
Wye
Queen Anne
Hillsborough
Denton
Ridgely
Greensborough
Henderson
Whiteleysburg
Houston Sta.
Milford
Farmington
Greenwood
Bridgeville
Seaford
Laurel
Delmar
Rockville
Bethesda
Cabin John
Georgetown
WASHINGTON
Alexandria
Upper Marlboro
PRINCE GEORGE
Camp Springs
Clinton
Croom
Fort Foote
Ft. Washington
Piscataway
Accokeek
Waldorf
Mattawoman Cr.
Pomonkey
Glymont
Mattawoman
Pomfret
White Plains
Bryantown
Laplata
CHARLES
Port Tobacco
Pisgah
Hill Top
Riverside
Pope's Creek
Newburgh
Chaptico
Wicomico
ST. MARY
Leonardtown
Great Mills
Compton
Valley Lee
Piney Point
St. Inigoes
St. Mary's City
Ridge
Scotland
Cornfield
Pt. Lookout
Prince Frederick
CALVERT
Port Republic
Solomon's
Drum Pt.
Cedar Pt.
Patuxent River
St. Leonard's
Sharps Isl.
Hill's Pt.
Tilghman
St. Michael's
Easton
TALBOT
Oxford
Royal Oak
Trappe
Choptank River
Cambridge
DORCHESTER
Vienna
Preston
CAROLINE
Federalsburg
Hurlock
East New Market
Secretary
Hooper's Isl.
Hoopersville
Bishop's Head
Tangier Sound
Bloodsworth Isl.
Holland Isl.
Smith's Isl.
Tangier Isl.
Crisfield
Kingston
Princess Anne
SOMERSET
Westover
Marion Station
Pocomoke City
New Church
WICOMICO
Salisbury
WORCESTER
Snow Hill
Pocomoke Sound
Great Fox Isl.
Watts Isl.
Beach Isl.
Accomack C.H.
Onancock
Cedar Isl.
Metompkin
Hallwood
Sandfordville
King George C.H.
POTOMAC RIVER
WESTMORELAND
Montross
Kinsdale
St. George's Isl.
RICHMOND
Warsaw
Heathsville
NORTHUMBERLAND
Fairport
LANCASTER
Lancaster
Bluff Point
North Point
Gresham
ESSEX
Tappahannock C.H.
Millers
KING AND QUEEN
King & Queen C.H.
KING WILLIAM
King William C.H.
MIDDLESEX
Saluda
Bayport
York Riv. & Ches. R.R.

MARYLAND
AND
DELAWARE
SCALE OF STATUTE MILES
0 5 10 20 30 40
BALTIMORE COUNTY
BALTIMORE
DELAWARE.
COUNTIES.
Index.
Kent........D 10
New Castle..B 10
Sussex.......E 10
CHIEF CITIES.
Pop. Index.
Thous.
3 Dover. ....D 10
1 Georgetown E 10
2 Harrington D 10
2 Laurel.....F 10
1 Lewes......E 11
2 Middletown B 9
1 Milford....D 10
1 Milton.....E 11
1 Newark.....B 9
4 Newcastle.B 10
2 Seaford....F 10
3 Smyrna....C 10
1 South Milford E 11
62 Wilmington A 10
DISTRICT OF COLUMBIA.
CHIEF CITIES.
Pop. Index.
Thous.
2 Anacostia ..E 7
1 Brightwood D 7
14 Georgetown D 6
3 Mount Pleas-
BEDFORD
FULTON
FRANKLIN
ALLEGANY
WASHINGTON
MORGAN
BERKELEY
HAMPSHIRE
FREDERICK
JEFFERSON
CLARKE
LOUDOUN
FAUQUIER
PRINCE WILLIAM
HARDY
Cumberland
Hagerstown
Romney
Berryville
Leesburgh
Warrenton
Petersburgh
Keyser
Martinsburgh
Towson
Ellicott City
Potomac River
Patapsco River
Gunpowder River